人力移動と野営術

“無人地帯”の遊び方

離島を歩く

003　無人の浜辺で迎える夕方。夕飯を作るための焚き火から煙が上がる。

出発前に宿で最終準備。“こだわるモノ”はそれぞれ異なる。

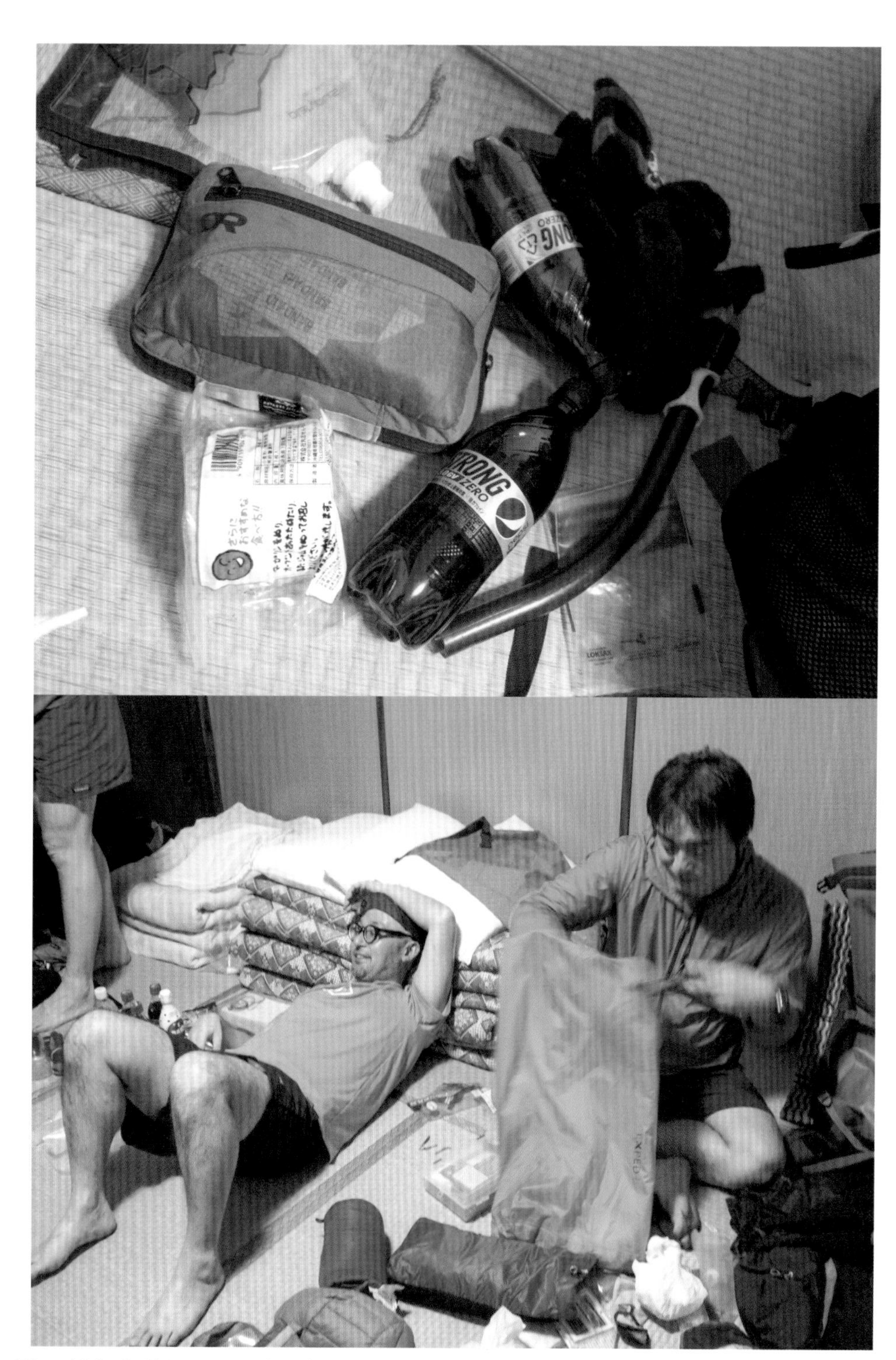

出発前は心が沸きたつ。明日は広大な無人地帯が待っている。

「急いで！」「もうちょっとだけ！」干潮を利用して進みたいリーダーと、干潮こそ釣りがしたいメンバー。

海の中を歩くか？ 岩場に登るか？ どちらを取っても難路である。

 うだるように熱いジャングルの中。小さな滝で体を冷やす。

人工物が一切ない無人の海岸。
一歩歩くごとに人間の世界から離れる。

難所が示されたコースガイドはない。
どんな場所でもチームワークで乗り切る。

ときには天気が崩れることもある。
境目が曖昧な海と空の雰囲気も悪くない。

“持ち運べる移動手段”パックラフト。
行動範囲が一気に広がる。

 どこにも登山道がないジャングル。歩きやすい場所、歩ける場所を探して動く。

 潮が引いて現れた広大な干潟。ぬかるみにハマり、足が抜けなくなることも。

シーカヤックを使い、島から島へ。
荷物もたっぷり載せられる。

無人地帯に道標があるはずがない。
巨岩の上からその先のルートを見定める。

深い場所では足元が見えない。
スノーケルをつけて水中の様子を確かめる。

歩きながらロッドを振り、釣り上げたカスミアジ。
これだけ美しい魚が、夜にはサシミになった。

南国ではポピュラーなヒカゲヘゴ。
その新芽は新鮮な食材になる。

魚をさばくのにはいいが、焚き火には……。
いつも理想的な場所に泊まれるとは限らない。

予定通りに行動できず、夜の前に岩棚の下へ避難。
こういうアクシデントこそ楽しい。

焚き火を前に自然のすばらしさについて語らう……
ように見えるが、実は馬鹿な話ばかり。

南国の離島

高橋庄太郎

今年もオレたちのお気に入りの島へやってきた。便がいい平地には人が暮らしているが、そのほかには広大な無人の海岸とジャングルが広がっているだけである。

場所はどこかって？

それはまあ、秘密だ。

地図帳でもネット上のマップでもいい。日本各地に点在する辺鄙(へんぴ)な場所を、さらに丹念に探していくと、集落どころか道すらもない〝無人地帯〟が見えてくる。あまりにも隔絶されていて、そこへ行くにはどうすればいいのかわからないような場所だ。

その代わり、なんとか足を踏み入れられれば、誰からも邪魔をされない、オレたちだけの〝自由〟が、そこには広がる。

そんな無人地帯の海岸を、

日焼けした男どもが、デカいバックパックを背負い、歩いている。いい歳をしているのに、みんなショートパンツ。岩場で足に負った擦り傷に海水にしみるが、素足の解放感にはかなわない。

　波打ち際に小魚が飛び跳ね、奇岩の脇にはウミヘビがうねる。ときに小山のような巨石に登り、ときには胸まで海水につかり、この日のキャンプ地を探して前進していく。

　歩きながらルアーを投げていた仲間の竿がしなる。これで夜メシの刺身を確保できた。バックパックのサイドポケットには恐竜時代を思わせるヒカゲヘゴの新芽もある。休憩中にジャングルへ入り、高い樹上に手を伸ばして、少しだけ折ってきたものだ。

　出発してからもう数日が過ぎている。昨日は、某大学の探検部だという数名の若者とすれ違ったが、みんな楽しそうだった。

　狭い日本には〝探険〟が成り立つ場所はないと思う人は多い。だが、何度足を運んでも飽きることがない原始性を帯びた〝無人地帯〟は、いまだ日本に残されている。

　トビハゼが跳ねる真水の流れを見つけた。プランクトンが浮遊するが、浄水器があれば飲めないことはない。よって、ここを本日のキャンプ地とする。近くに人がいたとしても、少なくても数kmは離れ、おそらく丸一日は歩かねばたどりつけない場所だ。

　火床と調理スペースを決め、薪となる流木を集める。小雨が降りそうなのでタープも張る。そして各自つかず離れず、程よい距離感で自分のテントやハンモックを設営する。

　その後は、フリータイムだ。釣り好きは再び海へ向かう。酒が好きなら昼寝前に一杯やる。ただその場に寝ころび、ヤドカリが歩く姿を見ているだけでも、時間がたっていく。

　空が赤味を増し、そろそろメシを作り始めたほうがいい時間だ。

　数種の魚、貝、エビ、野草……。目の前のフィールドから自然にダメージを与えない範囲でいただいてきた〝宝〟のような食材を活かし、臨機応変にメニューを考える。

　数百kmも数千kmも離れた場所からやってきたかもしれない流木がオレンジ色に燃え上がる。焚き火で作ったメシは、無条件でうまい。

　頭上には天の川。贅沢なことに、この数日で星の美しさにも慣れてしまったが……。

　さて、明日はどこまで歩いていこうか？

Contents

Chapter 03
行動術
高橋庄太郎

Chapter 04
生活術 ❶
池田 圭

Chapter 05

狩猟採集術

藤原祥弘

Chapter 06

調理術

小雀陣二

Chapter 07
生活術 ❷
高橋庄太郎

COLUMN

Kei Ikeda

池田 圭

編集者／ライター
担当＝第4章「生活術-1」

1981年神奈川県厚木市出身。幼少期から近所の川や工事現場を遊び場に育つ。大学卒業後はレコード店勤務→インド人のお土産製造業（in カナダ）を経て、数年後に帰国。両国国技館のお茶屋→サーフィン誌、登山誌の編集者を経て独立した。小雀の料理連載、矢島の写真連載、高橋の書籍などの編集も担当している。自身の著作はないが、編集者として手掛けたアウトドア系書籍には、いくつものベストセラーが生まれている。食べることが好きで、調理にもこだわりがある。自分よりも年長者であり、調理の専門家でもある小雀を立て、一歩引いて我慢しているような光景が見られる。

Tomoyoshi Tsuchiya

土屋智哉

アウトドアショップ「ハイカーズデポ」店主
担当＝第2章「道具術」

1971年埼玉県川口市出身。大学時代は探検部に所属。青春時代の大半を洞窟で過ごす。都内のアウトドアショップで世界中の先進的な道具を紹介するバイヤーを務めたのち、東京都三鷹市に「ハイカーズデポ」を立ち上げた。お店のコンセプトは“ウルトラライト（超軽量）”なギアとそれらを支えに楽しむ“ロングディスタンスハイキング”。著書の『ウルトラライトハイキング』（山と溪谷社）では軽量な道具を使った自由度の高いハイキング術を紹介している。無人地帯の旅では、毎回新しいギアと独創的なアイデアを我が身で人体実験し、ときにひどい目に合ったりもしている。

Shotaro Takahashi

高橋庄太郎

山岳／アウトドアライター
担当＝第1章「計画と準備」、第3章「行動術」、第7章「生活術-2」、旅エッセイほか

1970年宮城県仙台市出身。高校の山岳部から山歩きをはじめ、出版社を退社した後には、一人パタゴニアやカナダの山々を歩いたり、ユーコン川をカヤックで下ったりと、2年間の国内外アウトドア旅へ。その後、フリーランスのライターになる。著書に『トレッキング実践学』『山道具 選び方使い方』(枻出版社)、『テント泊登山の基本』(山と溪谷社)など。イベントやテレビなどへの出演も多い。子供のころから自分で毛鉤を巻き、ウキを削るほどの釣り好きだったが、現在はあまり興味がなく、現場では1匹釣ると満足し、後は仲間が釣ってきた獲物を食うことに専念している。

本書の監修·執筆·撮影は、アウトドア系のフリーランサーやショップ店主。
仕事と遊びの境目をなくして仕事仲間であり、遊び仲間でもある、
いずれもアウトドアのプロフェッショナルだ。

Shinichi Yajima

矢島慎一

フォトグラファー

担当＝撮影／グラフィック

1975年埼玉県秩父市生まれ。荒川上流で産湯を使い、自然児としてすくすくと成長。夏休みは魚突き、冬は野鳥観察をして過ごす。ハレー彗星の接近をきっかけに写真を撮り始め、1997年にキヤノン写真新世紀グランプリを受賞。写真家としてのキャリアをスタートする。現在はアウトドア雑誌や登山雑誌を中心に活動し、著書に『カメラをつれて山歩に行こう！』(技術評論社) がある。「生半可な気持ちで無人地帯の写真は撮れない」と頑なに撮影してこなかったが、最近、釣りがしたかっただけだと判明。本書の製作時には、旅の写真を撮ってこなかったことを仲間から叱られた。

Junji Kosuzume

小雀陣二

アウトドアコーディネーター／カフェ「雀家」オーナー

第６章「調理術」

1969年東京都生まれ神奈川県育ち。アウトドアメーカー各社と共同でキャンプ道具の開発を手がけるアウトドアコーディネーターにして、神奈川県三浦市でカフェ「雀家」も経営。小学３年生で料理に開眼し、青年期はレストランで腕を磨く傍らアウトドアに傾倒。アラスカの荒野を漕ぐ旅を通じて実戦的なアウトドア料理の技術を確立した。『焚き火料理の本』(山と溪谷社)『キャンプ料理の王様』(枻出版社) など著書多数。無人地帯の旅には少し遅れて参加。小雀の参加により、刺身と米しかなかった食事に革命が起きたが、本人はエスカレートする仲間の要求に困っている。

Yoshihiro Fujiwara

藤原祥弘

アウトドアライター

担当＝第５章「狩猟採集術」

1980年青森県生まれ宮崎県経由東京都育ち。リバーガイドを経てライターに。川遊びや野遊びなどの素朴な野外活動の記事をまとめる一方、自然物を使った摩擦発火などのワークショップも展開している。ライフワークは野生食材の採集と活用で、最も得意とするのは素潜りでの魚突き。無人地帯の旅では、そのおこぼれにあずかりたい他メンバーの総意として「藤原が獲物をとりやすい」場所をキャンプ地として決めることもある。共著に『BE-PAL 海遊び入門』(小学館)、編集を担当した本に『わがや電力 12歳からとるかかる太陽光発電の入門書』(ヨホホ研究所) などがある。

Prologue

〝無人地帯〟を遊びつくす

〜自由さを楽しむ日本のフィールド〜

高橋庄太郎

僕はこれまで日本中をさんざん旅してまわった。47都道府県は一度どころか、それぞれ何度も足を運び、主な街や観光地、貴重な自然が残る場所は、一つ一つ自分の目で確認した。

名の知れた離島の大半にも足を運んだ。島はその風土や歴史によって住民の性格に大きな個性が生まれるのがおもしろい。なかには二度と行きたいとは思わない島もあったが、思わず移住したくなる島も多かった。

特に好きな地域は北海道だ。以前勤めていた会社を辞めて無職になったとき、僕は50ccのスーパーカブに乗り、3ヵ月かけて道内をまわった。ついでに昔は日本領だったサハリンにまでフェリーで渡ったのは、良い思い出だ。

沖縄の離島にも東京から大型船で移動し、長期キャンプ生活をしていた時期もある。その際は思わず台湾まで行きかけたが、パスポートを持参しておらず、最果ては西表島にとどまった。

僕はなぜ、日本中を旅してまわったのか？ 行ったことがある場所を地図上にマークし、スタンプラリーのように数が増えていくのを楽しむためではない。ましてや、誰かに自慢するためでもない。それはただ、「自分が心から楽しめる場所」を探し続けていたからだ。海外の山にも登り、大河を下ったりもしたが、憧れの場所へいったん足を延ばすと憑き物が取れ、最近はますます国内に目が向いている。

そういえば、山を中心に執筆するアウトドアライターという仕事柄、いつしか日本百名山も踏破した。一方で海や川をカヤックなどで下る取材も多く、いまや遊びでも仕事でも日本を飛び回る日が続いている。

その結果、まじまじと実感したのは、アウトドア旅に対する自分の好みに、大きなクセがあることである。

キーワードは、ずばり〝無人〟だ。

それほど広くはない約38万㎢の国土

に約1億3000万人近い国民が押し込まれた日本には、どこにでも人が暮らしているように見える。特に今よりも貧しい時代には、見上げるように急峻な山の上まで段々畑を開墾したり、真水すら乏しい離島で漁業を試みたりと、実際に国中の隅々まで人間が暮らしていた。

しかし、いまや人口の大半は都市部に集中し、無人化した村や集落も多い。もちろん、もともと自然条件が厳し過ぎて無人だった場所もある。登山道すら延びていない山奥、道路からは接近できず、フネで行くしかない海岸や河原、そして無人島……。現在の日本には思いがけないほど〝無人地帯〟が広がっている。

そんな無人地帯のアウトドア旅が面白いのは、どこまでも自由だからだ。

考えてみてほしい。たとえ一人旅でも、街では電車やバスの時刻に行動が制約される。ホテルはともかく、民宿や旅館では食事や風呂の時間も決まっている。山小屋であれば、消灯時間がある。レストランや食堂では、与えられたメニューから好みのものを探さねばならない。

僕は、そんな旅には自由さを感じない。一見、自由に見える旅でも、結局は社会のルールの延長線にあるものなのだ。

しかし、無人地帯の旅は違う。

主な移動手段は、自分の足だ。乗り物を使うとしても、自分で運べ、人力で動かす軽量なフネやスキー程度。だから自分の好きな時間に行動を開始し、休憩し、行動を止められる。宿泊のためにはテントなどを持たねばならないが、その代わり、好きな場所を選び、好きな時間に眠り、起きることができる。腹が減れば自分で調理する必要があるが、好みの食材を持参すれば自由にメニューを決められる。何をしても誰かに迷惑をかけたり、制約を受けたりすることはない。
以前の僕は、そんな自由を求め、主にひとりで無人地帯を旅していた。そのおもしろさを理解してくれる人が周囲に少なかったこともあるが、わがままな意見を押し通してきたり、何かと面倒を見てやらなければいけない実力の人であったりすれば、結局は自分の自由が失われ、せっかくの無人地帯へ遊びに行く意味がなくなってしまうからである。
それなのに、本書『無人地帯の遊び方』は、複数の執筆者による共著で、しかもそのメンツを集めたのは、本来ソロ志向が強いこの僕だ。
今の僕には一緒に無人地帯へ旅することができる頼れる仲間がおり、それぞれに僕を上回る特別なスキルを持っている。この本に直接関わるのは計6名だが、ともに遊びに行ける仲間はもっと多い。誰もがアウトドアのエキスパートで、それぞれが一人でも無人地帯へ行ける力を持つのがポイントだ。
いろいろな場所へ同じようなメンツで遊びに行くことは多いが、〝チーム名〟のようなものはない。そういう呼称を付けてしまうと「メンバーになっている」「なっていない」という問題が発生し、面倒なのだ。
同様に恒久的な隊長や会長のような者もあえて作らず、上下関係はない。だがグループで行動する際にはやはりリーダーは必要なので、毎回の計画ごとに〝今回のリーダー〟を立てて動くのが我々のやり方である。
この本は、そのようなメンツが集まって、各章を分担した。そのために章によって個性の差が強く、他のメンツから見ると少し考え方やノウハウが異なる場合も多い。だが、大きな目で見れば、これが〝オレたちのやり方〟だ。日本に残された〝無人地帯〟で遊んでみたい方に、少しでも参考になれば幸いである。

計画と準備
Chapter
01
髙橋庄太郎

The No man's land

〝無人地帯〟とは？

〜恵まれた日本の国土〜

日本最大の無人地帯は、北海道の知床半島先端部だ。この寒冷な地には知床岬を中心に人工物がほとんどない自然海岸が70㎞以上も続き、カラフトマス漁の漁師が一時的に暮らす番屋があるのみ。定住者は皆無だ。その代わり、ヒグマが数百頭いるといわれる。

南方の小笠原や南西諸島などの離島にも大きな無人地帯がある。陸は亜熱帯ジャングル、海はサンゴ礁と、いわゆ

日本に残されている〝誰にも会わない〟場所

〝無人地帯〟は、いったいどんな場所のことなのか？

それをシンプルな視点からとらえれば、「人が住んでいない」「立ち入る人がいない」ということになる。アウトドア旅を主眼に置いた本書では、「丸一日以上行動していても、誰にも会うことがない」ということになろうか。

る〝本土〟とはまったく異なる自然環境だ。自然保護などのために自由にキャンプができる場所は少ないが、大きなポテンシャルを秘めている。

　本州中央部の山岳地帯も意外に広い無人地帯だ。北アルプス最深部には、登山道を使っても往復3～4日かかる場所があり、さらに登山道を外れた渓谷や岩稜帯などの〝本当の無人地帯〟では他人の顔を一切見ない数日も過ごせる。

海に山に残る「無人地帯」

　日本は〝狭い〟といわれる国だが、じつは山あり、海あり、離島ありの、非常に複雑な国土を有している。その面積のわりには〝無人地帯〟の広さは、イメージ以上といってよい。

　改めて、日本の地理的条件を確認しよう。国土面積約38万㎢は世界第61位で、地球規模では広い部類。寒帯、温帯、亜熱帯まで広がる細長い国土は広大な海に接し、排他的経済水域は約405万㎢。なんと世界第6位で、海岸線の長さも世界第6位だ。

　しかも国土の大半は急峻な山岳地帯。日本の森林率約68%は先進国で第2位となり、その半分は天然林だ。大規模な農業を展開できず、食料自給力が低いのはデメリットだが、〝遊び〟に使える土地が広大に残ると考えてもいい。

　こんな日本の自然環境は世界的に見てもスゴい！パスポートなしで遊べる〝無人地帯〟は、探せば探すだけ、日本中に見つかる。

山、海、川、ジャングル……
フィールドの特性

沖縄

気温が高く、避寒を兼ねて遊びに行ける得難い場所。サンゴが広がる海岸や小さな離島に目が行きがちだが、亜熱帯ジャングルを歩くのもおもしろい。獲物となる動植物が多く、天然食材が入手しやすいのもうれしい。

北海道

日本で最も自然が残された土地。人工物が無く、ほとんど人が訪れない海岸が長い。何日でも彷徨できる山岳地帯も広大である。ただしヒグマへの対処方法が非常に難しく、行動計画に大きな影響を与えるほど。

九州

本州並みに開発され、屋久島以外には人影が少ない山岳地域はわずか。しかしトカラから奄美、五島など離島の数は圧倒的だ。冬でも温暖な場所が広く、地図やネットを見ながら遊び場所を探す甲斐がある。

本州

平野部は徹底的に開発されているが、東北、中部山岳地域、紀伊半島には人の気配がほとんどない山域が。カヤックなどのフネを使えば、東北・北東部、紀伊半島などのリアス海岸の無人地帯にもアプローチ可能。

四国

山の奥深さ、複雑さは日本有数。四万十川など大河の支流の奥には人影少ない地域があり、南東部、南西部の海岸線にも手つかずの場所が残り、瀬戸内には離島が多い。山、川、海の“無人”要素がそろった場所だ。

地域によって異なるフィールド

“無人地帯”という面から考えれば、“国内最強”は北海道。離島こそ少ないが、原始性を帯びた山岳地帯や海岸線が非常に広く、ダムが一切ない釧路川のような大河もあり、どんな遊びにも対応できるポテンシャルを持つ。その北海道を小規模にしたような地域が四国だ。山、海、川、それぞれに無人地帯があり、組み合わせて楽しむこともできるだろう。離島が多いのは九州と沖縄地方。私有されている島でも地主の許可を得ればキャンプできる場合がある一方で、完全に禁止されている場合もあり、要注意。本州は人の手が入りすぎているが、日本でもっとも巨大な島だけに、“穴場”のような場所が点在している。あとは探し方次第だ。

海岸

少しでも平坦な場所があれば海岸には昔から人が住みつき、どこも護岸化されているように見える。だが、日本の海岸線はとにかく長大だ。歩きにくい岩場をなんとか越えた場所に、道路からはアプローチできない砂浜が広がっていることは珍しくなく、まるでプライベートビーチのような感覚で数日連泊するのも悪くはない。探せば日本全国、どんな地域でも人がいない海岸を見つけられるはずだ。

海

離島や一部の半島は、単なる海岸とは少々異なる性質を持つ。歩いて行くことができない場所にはフネを漕いで行くしかないのである。場所によっては自宅からクルマでシーカヤックを持っていくこともできるが、大きなバックパックサイズに収納できるフォールディングカヤックなどがあれば、全国どこにでも遠征することができる。船内には荷物もたっぷり入れられ、快適なキャンプ生活が送れる。

何をするかで考える「地域」と「自然環境」

日本各地に点在する無人地帯へ遊びに行く際に、重要な要素は2つある。

一つは〝地域の特性〟だ。東西南北に国土が広がる日本は、地域によって人が暮らす場所や人数が大きく異なり、フィールドの個性も違ってくる。

例えば、同じように海岸を歩く場合でも、北海道で注意すべきはなんといってもヒグマだが、沖縄では熱中症である。どこまでも深い山奥に入りたければ本州中央部で候補地を探したいが、川下りなら四国を狙う方が良い。

しかし、遠くまで遊びに行くには多大な交通費がかかってしまう。これはバカにでき

山

意外と無人の場所へ行きにくいのが、“一般的な山地”だ。道路や林道でアプローチできる地域は少なく、その先から無人地帯へ進もうとしても、ヤブばかりですぐに行く手を阻まれてしまう。できるだけ既存の登山道を利用し、そこから谷や尾根筋などの比較的進みやすいルートで目的地を目指すしかない。だが、山中に湧き出る秘湯に入ったり、誰も知らない湿原を探索したりするのはおもしろい。

ジャングル

本州などの森林帯と区別して考えたいのが、沖縄などの亜熱帯ジャングルである。湿気と熱気が驚くほど強く、いくら水を飲んでも熱中症になりやすい。頭上まで生い茂る照葉樹やシダ植物はルートを見失わせる。雨量もすごく、悪天時の川や谷の近くは非常に怖い。ハブやムカデのような危険生物も厄介だ。だが、アドベンチャー感覚は随一。子ども時代に戻ったかのように探険心がそそられる。

ない大問題だ。夏休みなどは思い切って遠征したいところだが、週末程度なら自分が暮らしている地域の近くから、遊びやすいポイントを探すほうが現実的かもしれない。

地域の特性以外で考えるべきは、地形を中心とした〝自然環境〟だ。「山にするか、海にするか、川にするか」、「川ならば、源流部なのか、上流部なのか」という話である。〝自然環境〟は、〝地域の特性〟以上に遊び方のスタイルを決定的に変える要素だ。

歩いて行ける場所と、フネを使わねば行けない場所では、必要な装備がまったく異なる。持っていないものは新しく用意しなければならない。カヤックや沢登りのように、それなりのスキルが無ければ安全

川

"はじめの一滴"が生まれる源流部から下がり、川がある程度の水量を見せ始めると、そこからは川下りの舞台。漕ぎだす場所まで自力で運べるフネの一つがパックラフトといわれる小型ボートで、体以外荷物も載せられる。クルマはもちろん歩いてすら行けない川岸へ漕ぎ進み、無人の河原でキャンプできる道具だ。川近くに道路があることは多いが、人工物が一切ない河原はいくらでも見つかるはずだ。

渓谷

川下りができるほどの水量が無い最上流部は、沢登りの世界である。基本的には下流から上流へと標高を上げ、進めば進むだけ深山に入っていくが、登り詰めると最後は登山道に出ることが多く、人間の世界へ帰りやすい。日本の沢水はそのまま飲める水質を保っている場所が大半で、飲み水には困らない。雨天時の増水に備えなければいけないが、釣りと組み合わせると、ますます楽しめるだろう。

に行動できない場合は、一緒に行くメンバーも考えなければならず、誰もが参加できる計画になるとは限らない。

〝遊べる〟場所が多いのは？

さて、〝地域〟と〝自然環境〟をかけあわせ、日本における〝無人地帯〟を見た場合、特におもしろい遊びができるのは、どこなのだろうか？

僕の個人的観点でいえば、「海岸」なら北海道、四国、沖縄。「海」なら北海道、九州、沖縄。「山」は北海道、本州、四国。「川」は、北海道と四国。「渓谷」に関しては日本中……といったところになる。

つまり北海道が一強。なんと、すばらしい場所なのだ。

道がない、キャンプ場もない
“自由な場所”で何をするか？

誰にも邪魔されない、自分だけの場所と時間

周囲に誰もいなければ、すべてがやりたい放題。大声を出しても、モノを散らかしていても、深夜まで遊んでいても、誰にも文句を言われない自由な時間と空間が、無人地帯にはある。何なら全裸で過ごすことすらできるのだ。

自由こそ、最大の目的。残りはおまけのようなもの

例えば、焚き火、釣り、キャンプ。それが無人地帯へ行く目的なのかと考えれば、間違いではないが、正しいともいえない。

この本を手がける我々には、「無人地帯に行くこと」自体が最大の目的だ。焚き火、釣り、キャンプはもちろん最高に楽しいが、あくまでもそれはサブ的な喜びである。

求めるものは、すべてのしがらみを捨て、誰にも邪魔されず、気を遣う必要が無い時間と空間。カッコつけて言えば、ただ「自由を味わう」ことだ。実際の現場は、だらしないだけだったりもするが、それも含めての自由なのである。

時には夜が明けるまで
焚き火の前で仲間と語らう

焚き火の前ではあっという間に時間が経つ。翌日の遊びの計画に支障が出たとしても、明け方まで話し合った時間のほうが貴重な記憶になることもある。具体的に何を話していたかは、すっかり忘れていたりするのだが。

食事こそキャンプの中心
うまいメシをたらふく食う

場所を選べば、直火でも焚き火ができるのは無人地帯のよさ。そのワイルドさが絶妙な調味料になり、ただでさえ美味いメシが五つ星レベルに格上げ。実際、焚き火で炊いた香ばしい白米はそれだけでいくらでも食える。

海、山、川からの恵み
食材の“現地調達”を目指す

わざわざ人がいない自然豊かな場所に行きながら、フリーズドライ食品ばかり食うような愚は避けたい。天然の魚や野草は、釣ってよし、採って、食ってよし。達成感や味覚など“喜びのすべて”が詰まった最高の遊びだ。

ちょっとドキドキ。
「キャンプ場ではない」場所で眠る

無人地帯のキャンプ地は、区画されたオートキャンプ場や登山者が密集する山中のテント場とは違う。そこはキャンプ「地」で、キャンプ「場」ではないのだ。他人を気にせず、自由な場所に眠れるだけでも価値がある。

ときには探険！
廃屋・廃村・廃道探しにも

知的好奇心を満たすなら、廃村や廃道を探しに行くのも良い。古い人間の痕跡が、現在は無人の場所と対比され､印象がますます深まる。ときどき遺跡のようなものすら見つけるが、それらは絶対に壊さず、現状をキープする。

プランニングの考え方

どこへ？（場所）

山、海、川といったフィールドの特性は、P38で説明した通り。前から憧れていた場所、誰かに勧められた場所、きっとおもしろいのではないかと見当をつけた場所などをピックアップしつつ、類似する他の候補地も探してみる。その次に考えなければならないのが「難易度」のようなものだ。メンバーの力量や身体能力は人それぞれで、手足が長い人なら簡単に突破できる岩場が、そうではない人には絶望的なほどの難所にもなりうる。

どれくらい？（日数）

具体的な計画を立て、それに見合う日数を確保するのが理想だが、現実的には難しい。日数が長く、メンバーが多ければ多いだけ、スケジュール調整は大変だ。多くの場合、メンバー全員が空けられる日数から逆算し、行く場所を決めることになる。なお、辺鄙な場所ほど不慮の事態が生じやすく、弾力的に対応すべく“予備日”が必要だ。予備日がない場合、無理な行動は厳禁。もしもの時は仕事があっても、ためらいなく無断欠勤すべきだ。

誰が？（メンバー）

なにかと問題が生じやすいのは、計画を決めた後でメンバーを募ること。力量や体力に不安を感じさせる人がどうしても参加したいという熱意を見せたとき、断ることができるのか？ それに対し、はじめにメンバーを決め、全員が行ける難易度の場所を選ぶのは、スムーズな計画方法だ。いずれにせよ、不確定要素が強い無人地帯では、初対面の者ばかりが集まるのは危険であり、普段から仲のよい者を中心にメンバー構成すべきである。

さまざまな要素を絡めて考える「計画」

プランニングの際に重要な項目は、ここからのページの上部に並べた通りだ。「場所」「メンバー」「日数」を決めたうえで、目的、交通手段、装備などを考えていくのが一般的だが、実際にはそれらが複雑に絡み合い、なかなか難しい。その人がいなければ始まらない、という重要メンバーの都合に合わせ、日程や場所を決めざるを得ず、その結果、参加できない人が出てくることもありえる。

だが、スムーズに計画を立てるための、ちょっとしたセオリーがないわけではない。

それは、はじめにメンバーを決め、全員が空けられる日

交通手段

交通手段は、"費用対効果"や持ち運べる荷物の量など、さまざまな方向から考える必要がある。飛行機は時間短縮には絶大な効果を発揮するが、運べる荷物の重量や種類には制限があり、費用も高価になりがちだ。一方、普通列車やバスは比較的安価だが、移動時間が長く、遊べる時間が短くなる。クルマは同乗者が多いほど割安だ。しかし、駐車してきた場所へクルマを回収しに行かねばならず、計画ルートが往復の場合はいいが、ワンウェイの計画は立てにくい。

目的

P42で記したように、自分たち以外に誰もいない場所で自由を堪能することが、この本に関わっているメンバーの多くが重視している点である。だが、その考えをすべての人に押し付けるつもりはない。誰もいない場所だからこそスレていない魚を爆釣できるだろうし、野生動物を至近距離で観察できる可能性も高まるのだ。そんなことを主目的にしてもいい。一般のキャンプ場では禁止されている朝まで夜通しのパーティ、なんてこともできるかも……。

費用

主要な装備類はいったんそろえてしまえば、あとは繰り返し使うことができる。一通り集めるまでは、多少お金がかかっても耐えるしかない。道具以外の主な費用は、交通費、食材費だ。食材はみんなでまとめて購入すれば安上がりになるが、交通費はそうもいかない。飛行機のチケットは割安のタイミングを見て購入したり、LCCなどを積極的に利用したりするとよい。言うまでもないが、いったん無人地帯に入ってしまえば、その間は面倒な費用のことは忘れられる。

季節

フィールドに雪があるかどうかは、計画を決定的に変える。積雪期は用意すべき道具が変わるだけではなく、量自体も増える。油断すれば低体温症になり、無雪期に比べて難易度は圧倒的に高い。エキスパート以外は、やはり春から秋が無難だ。とくに梅雨前の5月くらいは温暖で日照時間も長く、さまざまな計画を実現するのに好都合。それに対し、秋は日照時間が短く、行動時間を長くとれないが、夏ほど蒸し暑くなくて快適だ。夏から秋は、台風に注意。

程と日数をすり合わせてから、そのスケジュールに合わせて目指す場所を決める、という方法である。

要するに「メンバー」「日程」「場所」という順番だ。

メンバーがはじめに決まっていれば、それぞれの力量もすみやかに判断でき、実力に見合った場所を候補地にできるメリットも出てくる。

この重要3項目にさえ見当が付けられれば、そこからは現地で何をして楽しむか、現地まではどのような手段で向かうか、装備はどう分担するかなどと、より具体的な問題を考え、さらに計画を細かく詰めていくことができる。また、計画が「いつかは行ってみたい」というレベルの未来の話であれば、理想的な季節

情報収集

ここまで説明してきた日数、交通手段、季節、費用などの主要項目に大きく関わり、どんなプランニングでももっとも重要な事項は、「情報収集」だ。もっともそれらの項目に関する情報収集の方法は、一般的な登山やキャンプと変わらず、手慣れた人には造作もないだろう。だが、場所に関すること、つまり「無人地帯」に関することは、なかなか調べきれない。人が住んでいない場所ゆえに情報量が少なく、いくら時間をかけてネット上をさまよっても、知りたい情報が見つからないことは多いのだ。また、発見したとしても不確かだったり、完全に間違っていたりすることは珍しくない。“いつも水が流れている”という沢の情報を当てにして現地に到着したところ、完全に干上がっていて飲み水がなくなってしまった……というような失敗談はよくあることだ。事前に情報を集めるのは大事だが、こと無人地帯に関しては、出発前に得られた情報にはあまり頼ろうとせず、“参考にする”くらいの心構えで接したほうがいい。もちろん“コースタイムの目安”のようなものが算出されていることもない。ここが普通のアウトドア遊びと大きく異なる点だ。

保険

“保険の加入“は最重要項目のひとつだ。現在は年間契約から行動日数分だけ支払うものまで、多様な種類があり、計画を立てる際は自分自身だけではなく、参加者すべてがなんらかの保険に加入していることを必ず確認する。保険未加入の者になにか問題が起きたときは、本人に大きな負担がかかるだけではなく、メンバー全員が不利益を被ることは避けられないのだ。短い日数だからと加入をためらう参加者がいれば、残念ながら計画から降りてもらうしかない。

装備

詳しくはP54からの第2章を参照していただきたいが、どのような装備が必要なのかは、行く場所によって大きく変わる。団体装備の分担をどうするのかも重要だ。難しいのは、何が必要で、何が必要でないのかの判断力。例えば、フェルトのソールが貼られたいわゆる沢靴ならばスムーズに突破できる渓谷が、一般的な登山装備しかなかったため、先に進めないこともある。また前進できても多大な時間がかかり、時間切れで計画が失敗に終わる可能性も出てくるのである。

に合わせて、各自が休みをとれるように調整していくのもよいだろう。

忘れてはいけない安全対策

そして重要なのが、安全に関わることだ。51ページにも記したが、保険はマスト。また、危険性が高い場所では、少しでも不安感を払しょくするために、できるだけ情報収集を行なう。

ところで、意外となんとかなるものが費用だ。メンバーが多いほど割り勘のような効果が出て、交通費や食材費がかからなくなるのである。

そして49ページから触れるメンバー間の「役割分担」も重要な計画の一部である。

“調べないこと”の おもしろさ

僕が集めている昔の地図。100年近く前のものもあり、その情報は不確かで曖昧だ。ネット情報よりも、こういうものから計画を立てるのも良い。

いつもの居酒屋での、いつもの作戦（計画）会議。「あまり調べるのは、やめておこうよ」という言葉は、こんな状況から出てきたのであった。

事前の情報収集は重要だ。そんなことはわかりきっている。

だが、しかし……。

右のページの“プランニングの考え方”を含む、この1冊の内容とは少し矛盾する我々の話を、ここで紹介したい。

あるとき、次の計画を立てていると、海辺の手ごわい難所の話題になった。

「あの断崖絶壁、どうやって越えようか」

「波が無い時に、海を泳ぐ？」

「ロープを持っていく？」

こんな風にあれこれ想像するのは、現地で遊ぶ時と同じくらい楽しい。

そんな時、スマートフォンを見ていた別のメンバーが口を開いた。

「手前のデカい木の脇から山を巻けば、向こうに出られると書いてあるよ」

「ああ、そうなの……」

それを知ると途端につまらなくなる。

“無人地帯”の情報が少ないのは事実だ。だがネットなどで調べ進めると、意外な情報がポロッと出てくることもある。それが正しく、詳し過ぎれば、旅は“想定内”に収まり、楽しくならない。むしろ古地図のように曖昧な情報の方が想像力を膨らませてくれる。

だから、最近の我々は「調べ過ぎない」。出発前に対策を練った上で、フィールドでの判断と洞察を重視する。試行錯誤し、自分たちで難所を突破する達成感こそ、なんともいえないみんなの笑顔を生むのだ。

メンバーの担当割り

医務係
装備係
リーダー
記録係＆サブリーダー
会計係
食料係②
食料係①

「係」を決めれば、野外活動がうまくまわる

グループ行動を行なう際は、リーダーを筆頭とする〝担当割り〟を明確にしたい。それぞれが何らかの〝係〟を担当することにより、その分野に関する責任感が生まれ、何かとスムーズになるからだ。

上の写真は、とある遠征時の担当割り。得意分野や本人の希望、「前回はラクしたよね」などという総合的判断で決定され、負担が多い係は二人で、負担が少ない係は一人で複数兼務することもある。

最終的な全責任を負うのは、やはりリーダー。高度な判断力と行動力、カリスマ性まであれば最高だが、そんな人間はほとんどいない。メンバー

装備係

その時の計画に必要な装備を考え、メンバーに伝達。共同装備などを決め、それを誰が準備するか、どのように共有して使用するかについて決定する。道具の破損に備え、それぞれのメンバー以上にリペアキットを用意しておくと喜ばれる。

食料係

食料の計画を考え、それに合わせて食材の準備を行なう。買い出し先のスーパーなどで他のメンバーから出てきた意見も踏まえ、メニューを微調整することも。現場では調理を指揮し、食材の残りも記憶。無駄が出ないように心がける。

リーダー／サブリーダー

つねにグループ全体の行動を統括し、すべての責任を負う。判断に迷う事態に陥った際は最終的な決定を下すのも重要な役割だ。サブリーダーは、リーダーの補佐。何らかの理由でリーダーが不在になった時は、代わりの役割を務める。

記録係

あまり重要ではないが、いると役立つ係。次の計画に活かすべく、積極的に記録写真を撮り、行動時間も把握。水場やキャンプ地の正確な位置などもデータに残しておく。ちなみにこの本を作る際も、これまでの旅の記録が大いに役立っている。

会計係

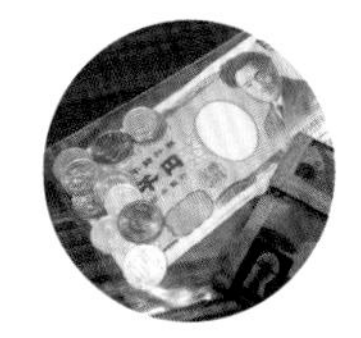

グループの“お財布”。現地ではそれぞれのメンバーから一定の金額を集め、誰もが共通金額の公共交通機関などの支払いはまとめて行ない、食材の買い出しの際も一括して支払う。大雑把な性格や倫理観に欠ける人間には向かない。

医務係

最低限の応急処置用ファーストエイドセットは各自が持つものだが、医務係はそれ以上にさまざまな用具や薬を準備。使用方法についても知識を深めておく。その場所の生物や植物に合わせ、解毒用の薬品を用意しておくことも大事だ。

の意見を民主的にまとめ、可能な限り理想的な決断ができれば充分だ。ただし、対外的なトラブル時は、前面に立つ覚悟は必要である。サブリーダーはそのサポートを。

食料係や装備係に関しては、上の説明に加え、本書の関係する各章も見ていただきたい。どちらも手間がかかる係だ。

ある程度の専門的な知識と技術が必要なのは、医務係。できれば講習を受け、実践的な応急処置方法を覚えておく。

グループの金銭を管理する会計係には几帳面さが重要だ。グループ用の財布を用意し、レシートを保管すると良い。

行動中は意識しないでいると意外と写真を撮らない。そこで記録係を立てておくと、良い思い出をたっぷり共有できる。

安全対策

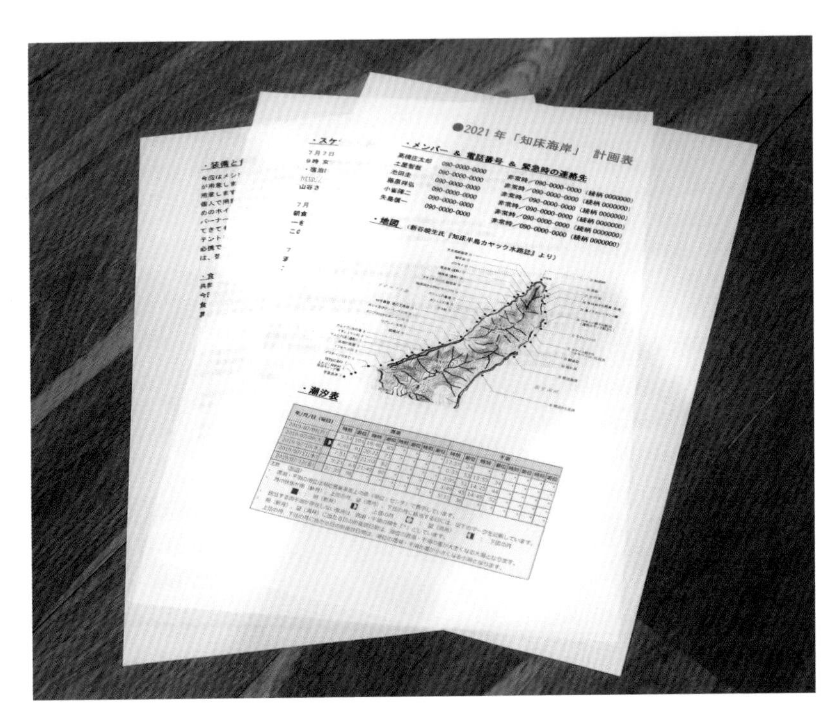

計画書

メンバーの電話番号／緊急連絡先、スケジュール、血液型や持病などを記載。各自がキープし、家人にも渡す。所轄機関への提出も。

〝事前〟〝事後〟にわける各種の安全対策

無人地帯はすばやく救急車が走ってくるような場所ではない。電話さえつながらない可能性が高いので、一般的な登山など以上に安全に関わる意識を強く持たねばならない。

安全対策は〝事前〟と〝事後〟に大別される。

〝事前〟は、危険箇所を回避するための情報収集、救助計画を立てる際の重要データにもなる計画書の作成や保険への加入等のことだ。

〝事後〟は、トラブル発生時にすばやく助けを求めるための連絡先、身体的な特徴に対応する医療情報といったことで、102ページで紹介している〝エマージェンシーキット"の用意も含まれる。
そんな対策を施しつつも、我々は絶対に事故や遭難を起こさず、問題が発生した場合は自分たちだけで窮地から脱出する気構えで無人地帯へ挑んでいる。トラブル発生時には、その無人地帯に近い地元の方が緊急出動することが多く、一度でも迷惑をかけてしまったら、二度と遊びに行く資格が無いと考えるからだ。メンバー内ではそのような価値観も共有すべきなのである。

保険

山岳保険、アウトドア保険には必ず加入。頻繁にフィールドへ出る人には年間契約が割安だが、行動日数分だけ入れる保険もある。

レスキューサービス

ヘリコプターでの探索をサポートするサービスもポピュラーになりつつある。いざという時を考えれば、加入していて損はない。

「いざ」というときのために メンバー間で共有すべき情報

●本人の名前と電話番号、メールアドレス

仲間の名前は、漢字も含めた正しいフルネームで把握。バッテリー切れにも備え、連絡先はスマートフォンのデータに頼らず、プリントアウトもしておく。

●緊急連絡先の名前、本人との続柄

一大事に連絡ができるように、仲間の家族の名前、続柄、連絡先も重要だ。個人情報などといってメンバー間で秘密にすべきではない。必要であれば働き先の連絡先も。

●血液型／持病／アレルギーなど

すみやかな医療処置のために、各自の身体的な問題も押さえておく。特に持病を持つ人は、発作などが起きた時に服用すべき薬などもメンバーに伝えておくべきだ。

●各自が加入している保険名、その連絡先

メンバーが意識不明になったり、死亡したりした時、加入している保険会社がわからないと、保険金が支給されない。費用を無駄にしないためにも情報共有したい。

●現地の緊急連絡先（役所、警察、病院など）

緊急時に関係各所へスムーズに連絡できるようにしておくことは、スピーディに危険から脱出し、問題解決するための重要ポイント。全員が把握しておくべき情報だ。

ラジオも有能！

現在は辺境地でも携帯電話の電波を受信しやすいが、それでも無人地帯は圏外になりがち。だがラジオは受信できることもあり、天気情報を得られる。

心のあせりが死をまねく

高橋庄太郎

知床半島は、僕が長く通い続けている「無人地帯」である。初めて知床岬先端まで歩いたのは30年前の大学生時代。世界遺産登録のはるか前だ。ここ15年ほどは最低でも1年に1回はカヤックで岬を回ったり、徒歩で海岸を往復したりしている。

知床の無人地帯では、ときおり悲劇が生まれている。

ちなみに、ここはヒグマの生息密度では世界一ともいわれる場所だが、ヒグマは関係ない。

僕がカヤックで秋の知床岬をぐるっと漕いだときは、遡上するカラフトマスを狙ったヒグマを30頭以上も目撃し、彼らを追い払って上陸した日もある。だが、ヒヤッとする遭遇や至近距離での威嚇行為の話はよく聞くものの、今のところ知床のヒグマと人間は大きな問題なしで共存できているのである。

じつは、悲劇の原因は、どこの海でも見られる「波」なのだ。

知床の北東海岸(根室海峡側)は道こそないものの、干潮に合わせて行動すれば、ブーツ内部を濡らすことすらなく、歩いて岬まで到達できる。しかし、満潮時には海に浸かり、ずぶ濡れにならないと先に進めない岩場の区間が数カ所ある。

濡れるだけならまだいい。海が荒れて高波が立つと、簡単に岩の上から体を引きはがされ、海へ引きずりこまれる。根室海峡の冷たい海に沈んでしまえば、助かる見込みは少ない。

2018年には大学生が亡くなった。干潮と満潮の間の時間帯らしいが、波浪注意報が出ているタイミングで、逃げ場がないトッカリ瀬という岩が入り組んだ難所に入り込んだのだ。そして、流された。

干潮を待つだけでも波の影響は下げられる。なにより、波というものは、時間が経過すれば、いずれ必ず収まる。

ただ待っていれば、安全な時間帯が再び訪れたはずだ。これは避けようがあった、気の毒な事故なのである。

このようなアクシデントは全国で度々起こり、たいがいは精神的なあせりがもたらす。その理由は、帰宅すべき日時を守りたい、たんに居心地がいい人間の世界に早く戻りたい、などさまざまだ。だが、約束に数日遅れても、少々不快感に襲われても、それだけで死ぬことはない。

僕なら簡単に停滞を決める。簡単に延期し、簡単に断念する。それでも事故を起こしたら、運命だったと思うしかない。

Chapter 02

土屋智哉

道具術

The Equipment

装備の考え方

無人地帯を遊ぶための道具選びの基本コンセプト

道具は汎用性・防水性・耐久性・軽さで選ぶ

本書に携わった面々の道具は、同じ場所を旅するにもかかわらず、てんでバラバラだ。しかし、道具選びの指針を突き詰めていくと、全員に共通する原則が見いだせる。

第一の原則は自由度が高く、汎用性に富んでいること。密林、岩稜（がんりょう）、干潟、水中などのさまざまな環境に対応するには、単機能な道具ではなく、応用が利くシンプルな道具が適している。

また、日本国内の無人地帯は、沢や海に沿った水まわりが多い。ここを旅するには、一般登山で求められる以上に、水への備えが必要だ。バックパックには荷物を濡らさない防水性が求められ、衣類や靴では水切れの良さや速乾性が重要になる。これが第二の原則となる。

第三の原則は耐久性とリペアのしやすさだ。整備されていない地域では、立ち塞がる枝や岩に道具を擦りながら進んでいく。素材の強度が高く、構造がシンプルであるほど耐久性は高まり、万一の破損時も修理がしやすい。

第四の原則が軽さ。強さは重要だが、自力で運ぶ以上、軽いに越したことはない。同じ機能・効果が得られるなら少しでも軽いものを選びたい。

汎用性、防水性、耐久性、軽さ。これらが無人地帯で使う道具選びの原則となる。

「ラフに使える」ことも道具の重要な機能だ

こうした機能面で要求される基本事項に加えて、気持ちの上で意識する原則もある。

ひとつは壊れても惜しくないものを使うこと。道具が傷つくことを恐れて萎縮しては本末転倒だ。機能を最大限に発揮するためにも、思い切り使い倒せる道具を選びたい。

もうひとつは実験精神をもって道具を使うこと。多様な環境が混在する無人地帯では、登山などで築かれた定石が通用しない。しかし、これは、ゼロから道具を選べることでもある。登山用品店に並ぶものだけが選択肢ではない。旅の計画を基に、自由な発想で選び、試してみたい。

誰かにとって最適な道具が、自分にとって最適とは限らない。実践と実験を繰り返すことで、自分だけのスタイルが築かれていく。

準備すべき装備類

多様な自然環境に**対応**するために

共同装備と個人装備

グループで歩く場合〝隊全体で最大の効果を生むこと〟を意識して、共同装備と個人装備を調える。

共同装備は主に調理道具、安全確保の道具、団体で使うタープ、エマージェンシーキットなどが考えられる。調理関係の装備は、グループの食事を効率よく作れる構成を意識したい。大鍋で一度に調理できれば、調理に関わる道具の総重量を小さくできる。

安全確保の装備は、危険箇所の通過に使うロープなどだ。

個人装備はテント泊山行の装備が基本となる。これに〝川〟〝海〟といった環境ごとに必要な装備が追加される。共同・個人装備ともに、汎用性と軽さを重視したい。

共同装備の一例

1. フライパン。大型の海水魚や甲殻類を調達できる旅で重宝する。焚き火での魚の調理に使うと、安定感もよく熱効率も高い。直径30cmほどの市販アルミ製フライパンの柄を切り落としてコンパクトに収納できるように加工しておく。2. 焚き火道具（グリル×2、予備風防）。グリルはチタン製の軽量フレームを採用。流木を使って調理をする際、木に渡してクッカーを安定させる。若干重量は増すが、市販の焼き網でも同様の効果を得られる。風防は強風時やアルコールストーブでの調理の際に使用する。3. クッカーセット（鍋×4、フライパン×1、フタ×2、ポットリフター×3）。5〜7名で米飯、汁物を作る場合はこの程度の構成が必要。人数に応じて足し引きする。それぞれの鍋に対応する蓋があると、熱が逃げないため調理時間を短くでき、料理に砂も入りづらい。4. 焚き火道具（革手袋、ブロワー、固形燃料、ライター）。ライターと固形燃料は防水袋に収納。これ以外にもバックアップを各自が持つ。

5. 予備ストーブ（アルコールストーブ、ゴトク、燃料用アルコール）。焚き火をできない荒天時のバックアップに。燃料用アルコールは離島や小さな街でも薬局などで入手できる。6. 浄水器（重力落下式）。溜まり水やよどんだ川が水源になることもある。浄水器は必須。重力落下式の浄水器は一度に数ℓを濾過でき、水を汲んで数十分吊るすだけで衛生的な水を得られる。ポンプ式よりも使い勝手が良い。7. 大型水筒（4ℓ）バルブが浄水器に対応するものを用意する。水源に細菌や原虫がいる可能性のある地域では、こちらの水筒には濾過後の水だけを入れる。8. 調理器具（菜箸、しゃもじ、おたま）。写真は炊飯と汁物を意識したセット。旅のスタイルに合わせて足し引きする。9. スポンジ。クッカーの洗浄に。10. スタッフバッグ（浄水器）。11. ガイドロープ（直径8㎜×20m）。荷下ろしや悪場での安全確保に。耐荷重が高く、摩擦に耐えられる強度のものを用意する。折り返して使う場合、このロープで超えられる悪場の高低差は10m以内となる。訪れる場所の難易度によって長さや数の調整が必要になる。

個人装備の一例

1. 寝袋（夏用化繊キルト限界温度6℃）。中綿に化繊を選ぶかダウンを選ぶかは難しい選択。化繊は濡れてもある程度の保湿性を維持できるが、収納サイズがダウンより大きい。ダウンは保温力と収納性に優れるが濡れると嵩がなくなってしまう。行動が長期になる場合は化繊中綿が無難。2. レインウェア（ジャケット、パンツ）。素材に防水透湿素材を使った上下セパレートタイプが基本。藪漕ぎが想定される場所では、パンツはデニール数が高く厚いものを選ぶと安心感が高い。3. マット（クローズドセル全長100㎝）。首から腰までを支える半身用。クローズドセルタイプは火の粉や棘などによるパンクの心配がない。4. 防寒着（ダウンジャケット、ネックゲイター、ビーニー）。体温は衣類の開口部や身体の露出した部分から逃げやすい。頭部や首を覆える防寒着があれば、重量を抑えつつ効果的に保温できる。5. 着替え（ロングスリーブTシャツ、パンツ、下着、ソックス各1）。全身を濡らしたときのバックアップとして着替えを一式用意しておく。行動中に使わずに済めば、人界に戻る前に〝よそ行き〟として着替える。6. バックパック(55ℓ)。道のない場所を歩くなら、バックパックはシンプルで軽量なものの方が自由度が高い。防水タイプでない場合は、パックの内側でドライバッグを使って内容物を濡れから守る。7. 野営道具(タープ、ハンモック、シート)。シェルター類は好みのものを。P76～83参照。8. 野営道具備品(ペグ、ガイライン)。

9. ファーストエイドキット（絆創膏、靴擦れ用パッチ、テーピング、アルコールパッド、ポイズンリムーバー、ダニとり、鎮痛解熱剤、リップクリーム、抗生物質軟膏、トゲ抜き、安全ピン）。写真は土屋の装備。行動中に作りやすい小さなケガは個人装備のキットで対応できるとグループ全体の動きを妨げない。ある程度の大きさ以上の傷病は、P103のグループ用の装備でケアをする。10. サコッシュ。行動中に頻繁に確認する地形図や携行食、カメラなどを収納。肩が凝りやすい人は荷重が左右均等にかかるチェストバッグのほうが負担が少ない。11. コンパス、マップケース（ファスナー付プラスチックバッグ）、メモ帳。地形図は防水対策をして保持。市販のマップケースよりファスナー付プラスチックバッグのほうがコンパクトで嵩張らない。12. ヘッドランプ、予備ライト、爪切り付ナイフ、ホイッスル、温度計。ヘッドランプと予備ライトは別々に保持。予備ライトは防水袋に入れておきたい。ナイフは必ず携行する。小型マルチプライヤーでも可。ホイッスルが必要になる場面では、身体が自由にならない状況が想定されるので、取り出しやすい場所に収納する。温度計は気温、水温を把握するためのもの。

13. 携帯用“お尻洗浄シャワー”。長期行動中は陰部周辺がきれいになっているだけで負担が軽くなる。14. ショベル。排泄物の埋設に。15. リペアキット（バンジーコード、コードロック、タイラップ、針と糸、ダクトテープ、リペアパッチ）。衣類やシェルターに穴が開くのは日常茶飯事。大きな穴も強力に塞ぐパッチ類、テープ類は必携。16. 浄水器。安全な水の確保は継続的に行動するうえで欠かせない要素。共同装備に浄水器があっても各個に小型のものを携行する。17. モバイルバッテリー、ケーブル、ACアダプター。デジタルガジェットを持ち込む場合は、予備電源も必携品。濡れに弱いので厳重に防水を。18. 歯ブラシ。衛生用品はお好みで。歯磨き粉を使う場合は環境負荷の小さいものを。19. カップ。20. 水筒。ソフトボトルタイプが収納性で有利。水場の状況に合わせて複数用意する。21. クッカー。取り分けるカップとしてしか使わない予定でも、個人で行動する可能性に備えて火にかけられるものを選ぶと便利だ。22. 箸。

山＆沢に対応する個人装備

1. ヘルメット。岩稜、沢では落石や転倒によって頭部を強打する可能性がある。欧州統一規格か国際山岳連盟の規格をクリアするモデルを選びたい。急流を泳ぐ場合は水抜けも意識する。2. チェーンスパイク。フェルト底の渓流タビやソールパターンの浅いシューズを使う場合は、ぬかるんだ場所でグリップ力が低下する。滑りやすい地面で装着する。3. グローブ。手のひら側にゴムが貼られたもの。安いもので十分。4. 渓流シューズ（沢靴）。苔の生えた沢ではフェルト底がいちばん利くが、岩の質によってはラバー素材が利くことも。渓相によって使い分ける。5. ハーネス。沢での安全確保に使うならパッドが薄く水切れがよいものを。万が一の懸垂下降に備える場合も軽量なもので十分。6. ストック。急流や浅瀬を歩く場合、両足に加えてもう一点支持が増えると格段に歩きやすくなり、体力の消耗も防げる。腐食に強く、砂を噛みづらい素材・構造のものが使いやすい。7.8.9. カラビナ、スリング。懸垂下降の際のアンカーとして。10. 環付カラビナ、ATC、マイクロアッセンダー。同じく、懸垂下降に備えて。

川に対応する個人装備

1. パックラフトアクセサリー（デッキバッグ、シリコンストラップ、バックパック固定用ライン、リペアキット）。歩行中に使う装備はドライバッグに収納してデッキに固定する。降河中にも出し入れしたい道具はデッキバッグに収納しておく。2.PFD（ライフジャケット）。下る川のグレードに合わせて適切な浮力を選ぶ。3. パックラフトとインフレーションバッグ。バーストなどの事故は難所で行動不能につながる可能性も。信頼のおけるメーカー、モデルを選ぶ。4. パドル。携行を考えると4ピース（短く四分割ができるもの）が現実的。ブレードは衝撃に強い素材のものを。5. ナイフ、ホイッスル。ナイフとホイッスルは水中での拘束や事故に備えて取り出しやすい場所に。水辺での事故に備えるナイフはセレーションタイプ（波刃）が良い。

海に対応する個人装備

1.UV対策用化繊フーディー。春先から初夏にかけての海岸線は強烈な紫外線が降り注ぐ。気温が高い場合も首すじと腕を保護するために水切れの良い化繊の長袖を身につける。2. 日除用ハット。耳と首すじに日陰を作るものを選ぶ。肌が焼けるほどの日差しでなくても、紫外線で目が焼けて雪目になることも。春〜秋は顔面に日陰ができるように心がける。耳と首が出るキャップよりもハットを推奨。3. グローブ。岩を伝い歩きする時はゴム張りタイプが岩や貝殻に対して強い。4. ストック。浅瀬の歩行用に。深さや水底の状態がわからないときにはこれで探る。

バックパック、バッグ類

いかに濡らさずにものを運ぶか

目止めを施した簡易防水タイプはパックライナーとの併用が必須。しかし一般的なパックと同じ感覚でパッキングできる。荷崩れや荷物の脱落もなく、安定した運搬を可能にする。

防水バッグを大きなパネルではさみ込む背負子タイプは、不定形の道具の運搬にも対応しやすい。また防水バッグを複数に分けて使えば、荷物の浸水リスクも分散できる。

道具を運搬するための要

個人装備と共同装備、さらに数日ぶんの食料を運ぶとなれば自ずとバックパックの容量は50ℓ以上になる。そして、水に濡れる場所で使うなら内容物を濡らさない構造と水切れの良さが求められる。

水辺に向くバックパックは、大型の防水バッグをパネルではさみ込む背負子タイプと、防水生地に目止め処理をした簡易防水パックに大別できる。

背負子タイプは急流の遡行や藪漕ぎなどの場面で抵抗が小さいが、頻繁に出し入れする道具を収納する場所がない。簡易防水タイプのパックには、ポケットが多いモデルもあるが、こちらは障害物が苦手。それぞれに一長一短がある。

サイドからはさみ込む背負子。釣竿など長物の固定に効果的。フロント側はストラップのみのためドライバッグの小分けは難しい。

大きなフロントパネルとサイドのストラップではさみ込む背負子。このタイプはドライバッグを複数に分けても荷崩れしにくい。

パッキング

本書の執筆陣のパッキング例。以前は一般的な登山用パックにパックライナーを入れて防水するメンバーが多かったが、度重なる浸水事故を経て、ドライバッグを装着できる背負子タイプが人気になった。長尺の釣り道具や不定形の潜り道具、パックラフトなどを運搬するには背負子タイプが最も汎用性が高い。パックのサイズ感は55〜65ℓ前後。内部に浸水しないことはもちろん、背面パッドやヒップベルトに水を含みづらい素材や構造のものが使いやすい。

簡易防水パック。本体のデイジーチェーンにオプションポケットを増設。豊富なループとポケットのおかげでパッキングしやすい。

小型の背負子モデルをカスタム。フロントパネルにポケットを増設し、トップリッドも容量アップ。防水性能と使い勝手を高めている。

サイドストラップの活用に注目。背負子タイプは荷崩れしやすいので、荷物の装着時はループになった部分にストラップを通しておく。

防水対策と機動力確保

バックパックの防水性能の過信は禁物だ。すべての内容物は、各個にドライバッグやファスナー付プラスチックバッグに収納してから収めたい。

ドライバッグの厚みは強度に比例する。絶対に濡らせない電子機器などは厚めのバッグに入れ、さらに別のバッグへと収納する。濡れても支障がないものは薄手のバッグでも良いだろう。

メインのバックパックに加え、サブのバッグがあると地図やカメラ、行動食などを取り出しやすい。行動中に使うならサコッシュやチェストバッグが良い。また、ベースキャンプ周辺での活動では軽量なアタックザックが便利だ。

小分け用ドライバッグ

ドライバッグは開口部の留め方、生地の素材や厚みでバリエーションがある。防水性能ではロールクロージャー方式が有利だが、簡易防水パックの使用者がパックライナーとして使うなら、巾着タイプが使いやすい。寝袋とダウンジャケットを別のドライバッグに収納したり、着替えを異なるバッグに分けておくと万が一の浸水時にも被害を最小限に抑えられる。基本的にすべての荷物は小～中型のドライバッグに収容してから大型ドライバッグのなかに収める。二重、三重のバックアップが浸水事故を防ぐ。

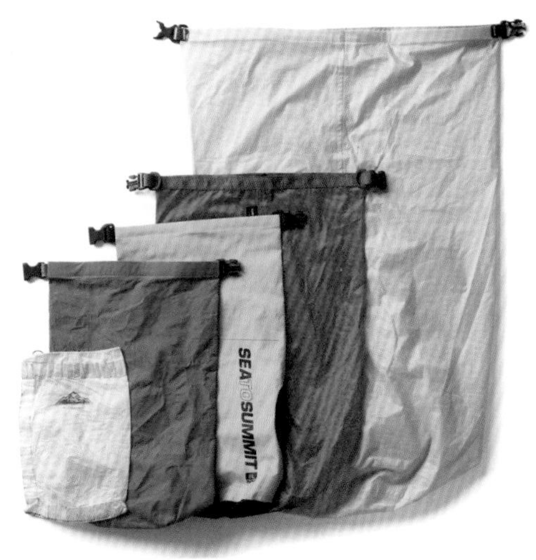

ロールクロージャー式の50ℓパックライナーから巾着の1ℓ簡易防水バッグまで様々なサイズがある。小さいサイズで細かく分けるよりも中央の15～20ℓ程度のサイズでの小分けが実用的。

困った時にはジップロック

ファスナー付プラスチックバッグは食料の小分けや貴重品の防水、マップケースなどに使える。「ロックサック」は高強度で長く使えるが、ジップロックでも短期間なら用をなす。

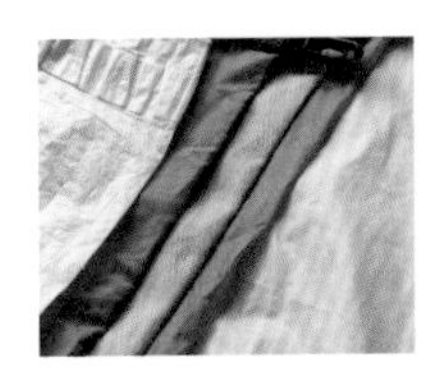

左から樹脂フィルム、PUコーティングナイロン、防水ポリウレタン、シルナイロン、PUコーティングポリエステル。パックライナーに使う場合は、滑りの良い素材がパッキングしやすい。

サブバッグ類

大型のドライバッグを中心に荷物をパッキングすると、どうしても小物の出し入れに難がある。それを解決するのがサコッシュやチェストバッグだ。これらを身体の前面に提げておけば、行動中に頻繁にチェックしたい地図やコンパス、行動食を手軽に取り出すことができる。また、幕営地での食料採集やルートの偵察では、最低限の道具だけを携えて身軽に行動したい場面もある。こんなときには両肩に均等に荷重がかかる小型のアタックザックが活躍する。

バックパックの左右のショルダーストラップから吊ればチェストバッグとして、袈裟懸けにすればサコッシュ的にも使えるパック。地図や行動食、カメラの収納で活躍する。

身につける道具は軽量・コンパクトなほうが動きが妨げられない。軽量なウエストバッグは袈裟懸けにしてサコッシュ的に使っても良いし、偵察時の小物入れとしても優秀。

行動中のスカウティングやベースキャンプから食料調達に出るときは、登山で使われるアタックザックが便利。収納時はコンパクトだが展開すれば20ℓ程度の大きさになる。

ダッフルバッグ

長期間の大人数での遠征では事前事後に必要になる道具が出てくる。また、山、川、海とフィールドを転戦する場合は、フィールドごとに必要となる道具も変わる。こんな旅では行動用のバックパックのほかに大型のダッフルバッグがあると便利だ。出発前にスタート地点近くの郵便局や宅配業者に局留めで送っておいて現地でピックアップする。行動中は内容物を雨や動物に侵されないように工夫をして、茂みなどにデポしておく（食物だけ別の袋に分けておくとメインのバッグが食い破られない）。

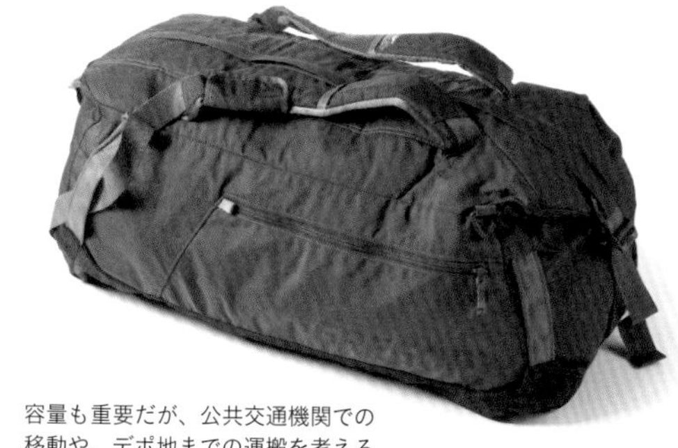

容量も重要だが、公共交通機関での移動や、デポ地までの運搬を考えるとバックパックのように背負えるモデルが良い。ローラーがあるタイプは不整地でかえって難儀する。

フットウェア

岩、水、砂、泥を越える
全天候型の靴選び

水深で変わる靴選び

「水辺を、長く歩く」。
　同じ場所を同じ目的で歩くのに、ベテランハイカーが集えば多様な靴がそろう。しかしそこにはある共通点が見つかる。大半の者が「非防水」の靴を選んでいるはずだ。
　ときに腰まで水に浸かる旅では、靴の防水性は役だたない。むしろ、防水皮膜を内蔵した靴は一度入った水が抜けず歩きにくい。防水皮膜の入った靴は、ぬかるみ程度のコ

トレッキングシューズ

さまざまな環境に対応できる靴として真っ先に思い浮かぶのが総合力に優れたトレッキングシューズだ。不整地でも安定感のあるソール、足を守る丈夫なアッパー、くるぶしを保護するハイカットなど、幅広い地形・地質に対応できるようデザインされている。しかし、排水性の面で水辺では使いにくい。渓流タビとの二足づかいやルート上に水中での行動がない場合に候補となるだろう。

外部からの浸水を強固に防ぐトレッキングブーツは、一度水が入るとなかなか乾かない。しかし、内部を濡らさなければ抜群の快適さを得られる。

ンディションでは快適だが、深い水では機能しないのだ。
　水がくるぶしを超えるか否かで靴選びは大きく変わる。

滑らない技術、転ばない技術

　靴が変われば歩き方も変わる。トレイルランニングシューズや渓流タビは、柔らかいソールを生かして面で踏むことでグリップ力を生み出す。
　一方ブーツは、硬質なアッパーとソールを備えている。全体重をソールの一点でも支えられるので、小さな岩角も足掛かりにできる。
　一般的に、水辺は渓流タビ、泥が多いルートはトレイルランニングシューズ、岩稜ではブーツが歩きやすい。

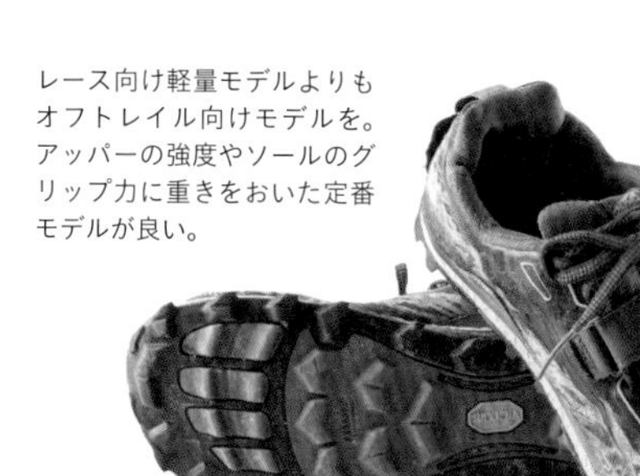

レース向け軽量モデルよりもオフトレイル向けモデルを。アッパーの強度やソールのグリップ力に重きをおいた定番モデルが良い。

トレイルランニングシューズ

トレイルランニングシューズは本体が軽く、排水性も高いので一歩ごとの足運びが軽い。行動中の軽快さでは群を抜き、総合的な性能では最も使いやすい。砂と土の地面に強く、ソール全体でグリップする歩行法を身につければ岩稜や転石帯もリズミカルに越えられる。その反面、沢、川、海の苔がついた岩には注意が必要だ。アッパーの耐久性にもやや不安がある（長い旅ではアッパーが破れることもある）。足首が固定されないので重量物の歩荷には注意が必要だ。

渓流シューズ（沢靴）

日本では古くから沢すじが生活や交易の道として活用され、やがてそれは「沢登り」という日本独自の登山スタイルにもつながっていった。そんな歴史の中で生まれたのが渓流タビだ。得意とするのは苔の付いた岩場。フェルト底（あるいは特殊なラバーソール）が、ほかの靴ではつるりと滑るシーンでも岩をグリップする。

濡れてぬめった岩場ではフェルトソールの渓流シューズが圧倒的なグリップを誇る。反面、ソールに凹凸がなく、泥が詰まると滑りやすい。水際以外の山中では注意が必要だ。

特殊なラバーソールを貼った渓流シューズ。苔付きの岩でのグリップはフェルトに劣るが、それ以外の状況でフェルトに勝る。水辺のオールラウンダー。

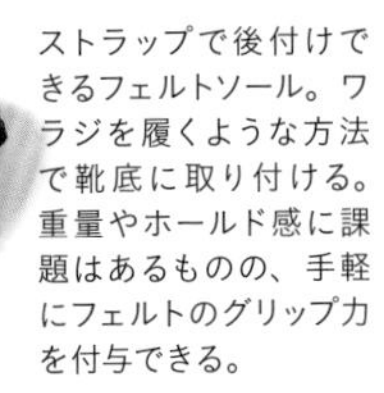

ストラップで後付けできるフェルトソール。ワラジを履くような方法で靴底に取り付ける。重量やホールド感に課題はあるものの、手軽にフェルトのグリップ力を付与できる。

特殊ブーツ

道なき道を進む旅では一般的な登山の装備では用をなさず、ときには“オーダーメイド”も行なうことも。「重い荷物を背負って、岩場、砂浜、干潟、浅瀬などの環境を歩くなら、どんな靴が最適か」。そんな問いを立てた高橋が東京の「ゴロー」にオーダーしたのが写真の特殊ブーツ。一見、普通のブーツのようだが、サイドには水抜きの穴を設けており、登山靴感覚で水辺を歩ける。

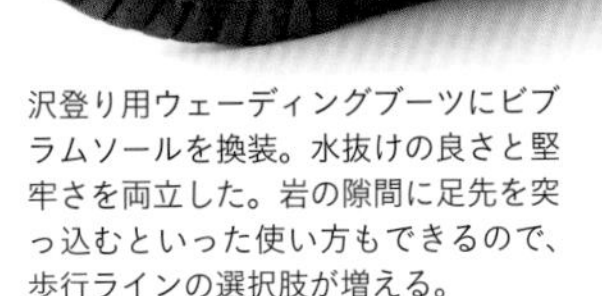

沢登り用ウェーディングブーツにビブラムソールを換装。水抜けの良さと堅牢さを両立した。岩の隙間に足先を突っ込むといった使い方もできるので、歩行ラインの選択肢が増える。

20kg近い荷物を背負って岩場で使用すると、ピンを埋めたラグがよれてしまい不安定になることも。

地下タビ・スパイク地下タビ

山仕事で使われるタビ類は、林業家だけでなく山小屋の小屋番や登山者にも愛用者がいる。高機能な道具があふれる現在も生き残っているのは、日本の自然に合致するからだろう。地下タビはその使用感も適合する環境も薄底ランニングシューズとほぼ同等だ。靴ではスポイルされる自身の身体能力を引き出してくれるのは、タビならでは。対してスパイク地下タビは、ぬかるんだ林床では最強のグリップを誇るが、岩場では不安定になることもある。

プレートタイプの簡易スパイク。重量は150g前後。チェーンスパイクが使えないほど大きい靴や、アッパーとソールが硬い靴との相性が良い。装着にはやや力が必要。

一般的なチェーンスパイク。装着が簡単でホールド感も良い。スパイクが足裏全面にあるためグリップ力にも優れる。重量が350g前後で非常用としてはやや重たいことだけが難点。

チェーンスパイクの超軽量モデル。重量100gと圧倒的に軽いが、スパイクが少なく前足部にしかないなど、クセが強い。ホールド感も乏しいため、使用者の工夫が必要となる。

簡易スパイク

ぬかるんだ草付き斜面はフェルトソールの渓流タビやソールパターンが浅い靴が苦手とするシチュエーション。そんな場面で活躍するのが、雪上や凍結路面で滑り止めに使われる簡易スパイクだ。装着すれば長い爪が斜面の土を強くつかむ。プレートにスパイクを備えたストラップ式のものと、スパイク付きのチェーンに強いゴムでテンションをかけるものがある。汎用性では前者、手軽さでは後者が勝る。どちらも靴のサイズに合ったものを選びたい。

サンダル

水上と水中を間断なく行き来する旅では、靴と足は常に泥と砂に湿っている。濡れた足での行動は足裏に大きな負担がかかるので、野営地ではサンダルを履いて積極的に足を乾かしたい。開放感と放湿効果ではビーチサンダル型が優秀だが、薪を集めたり釣りをする場面では不安がある。足全体を覆うものは行動の幅が広がるが足が乾きにくい。「軽さとコンパクトさ」「足の保護」「歩きやすさ」がサンダル選びの要素。野営地の環境や作業に合わせて選び出そう。

爪先保護を特徴とするスポーツサンダル。サンダルと靴の中間のような構造で、靴のような使用感が得られる。水中での活動に最適。

ワラーチと呼ばれるランニングサンダル。保護機能は乏しいが、踵が固定できるため歩行に適しており、何より重量が軽い。自作もできる。

ビーチサンダル。保護機能も踵のホールドもないが開放感は随一。リラックスする時間だけ履く、と割り切れば携行時の負担も小さい。

いわゆるクロックスタイプ。爪先全体が覆われ、踵をホールドする機構もあるので歩きやすく保護力も高い。非常に軽く水切れも良い。

ウェアリング

あらゆる状況と環境に対応でき、惜しみなく使えるものを

高温・多湿な状況

一般的なアウトドア・登山のセオリーでは、腕や足を保護するために長袖長ズボンが望ましいとされている。岩場や藪が多い無人地帯の活動ではなおさらだ。しかし歩き慣れた者が高温多湿な環境や海辺を歩くなら、半袖とハーフパンツが快適だ。もちろん擦り傷はできるしアブや蚊に血を吸われることもある。日焼けにも注意が必要だ。保護が必要な場面ではウインドジャケットやレインウェアのパンツなどを足し引きして対応する。

濡れ対策、臭い対策

水まわりの行動では、ウェアは湿潤と乾燥を繰り返す。こんな状況での速乾性では化繊が優れるが、よく乾くのは気化熱の作用で体温を失うことでもある。そして、湿潤・乾燥を繰り返した化繊は臭う。

対してウール素材は濡れていても体温を保持し、臭いづらい。その反面、乾きは遅い。どちらが良いとは一概に言えないが、総合力ではウールが若干優れている。

防風と遮光

防風性と遮光性も重要な要素だ。水辺をわたる風は体温を奪う。状況に応じてすぐに羽織れるウインドジャケット

冷涼な状況や虫が多いとき

春や秋の冷涼な気候や沢すじで行動する場合は長袖・パンツが基本となる。ウールのアンダーの上下に、動きやすく水切れのよい薄手の長袖（化繊かウールかは好みで）、濡れても腿上げに干渉しないパンツといった組み合わせが汎用性が高い。頻繁に水に入る場合は、ネオプレーン製のゲーターがあると体温の損耗が小さくなる。また、春から秋の海岸線ではヌカカ、夏の川ではアブの猛攻を受ける。虫対策も意識しておきたい。

やフーディーは防風・防寒の点でインサレーションウェアより応用範囲が広い。

直射日光に晒される森林限界の上や、海岸線では遮光性も重要だ。強い日射と風が拮抗し、体温面では半袖が快適な状況で油断すれば、夜には紫外線で焼けた肌に泣くことになる。肌の被覆は日焼け予防と疲労軽減にも役立つ。

ボロボロの衣類を

衣類は汗と水に濡れ、直射日光に晒され、焚き火で燻され、岩に擦られる。もちろん、劣化も早まる。こんな状況で新品を身につけると行動面でも精神面でもブレーキがかかる。惜しみなく使える衣類が、使用者を自由にする。

レインウェア

野外活動における雨対策は、濡れの回避以上に"体温の保持"という目的がある。極論すれば、濡れただけでは人は死なないが、水濡れで体温を奪われたら低体温症を経て死に至る。レインウェアは体温の保持において重要な外殻なので、訪れる場所で遭遇し得る最も過酷な状況に合わせて選び出したい。基本は防水透湿素材を使ったセパレート型のスーツだが、高温多湿な状況では放湿性に優れるポンチョも視野に入る。

レインスーツは雨を防ぐだけでなく、ウインドジャケット代わりにもなる。防水透湿膜の種類や透湿性能などに加えて安心できる生地厚のものを選びたい。

蒸し暑い夏の川下りならば換気性能の高いポンチョを雨具としても快適だろう。河原での幕営時にはタープとしても活用できる。

コンマ数mmの厚みしかなくても、風と日光を遮ってくれるウインドジャケット。100g前後の軽さと掌におさまる大きさで得られる効果は大きい。

防寒着

防寒着の筆頭は中綿の入ったインサレーションウェア。水濡れや火の粉が避けられない環境では、濡れても保温力の低下が少なく、穴があいても中綿が漏れない化繊綿が使いやすい。そして、最も出番が多い防寒着がウインドジャケットだ。Tシャツでは肌寒いが中綿があるものまでは必要ない、歩くと暑いが止まると寒い、という場面では手軽に着脱できるウインドジャケットがあると体温を適温に保てる。日焼けを防ぐのにも有効だ。

薄手のインサレーションウェアは「格別暖かくはないが、決して寒くもない」という適温を提供してくれる。最初に手に入れたいアイテムの一つ。

化繊とウールは着心地、速乾性、臭いにくさで一長一短。肌が強い人は化繊、肌が弱い人はウールのほうが体への負担が小さい。

ベースレイヤー

ベースレイヤーは肌に長く触れ続けるものだけにフィールド･気候に合ったものを選びたい。1日に何度も水に入る旅では、水切れの良い化繊のシャツと下着が基本となる。しかし、長く着用を続けると化繊はどうしても臭いが出る。また、肌が弱い人は皮膚がかぶれることもある。第二の選択肢となるのはウール。ウールはゆっくり放湿するため乾きづらいが、湿っていても保温力があり、長期間着ても臭いにくい。

小物類

都市では剥き出しが当たり前の頭部や手足も、野外では保護が必要だ。最初に考えるべき注意点は日光、ケガ、虫の3つ。日差しを遮るものがない海岸線や森林限界の上では帽子とサングラスが必携品。暑くなくても紫外線には注意したい。岩や木を頻繁に掴むシーンでは手袋を。棘のある木や有毒生物は意外に多い。吸血昆虫が多い場所ではヘッドネット（バグネット）も有効だ。血を吸われるだけでも不快だが、アレルギーなどの反応を未然に防ぐ効果が大きい。

頭部は暑さ、寒さの影響を大きく受ける。つばの広いハットは炎天下で頭部の過熱を防ぎ、眼球への日光の直射を遮る。地面からの照り返しが強いときはサングラスで目の保護を。

南国の島のヌカカや渓流のアブは、ときに立ち止まることさえ許さない数で押し寄せる。首から下と比べて頭部は衣類で守りにくいので、専用のヘッドネットを用意しておく。

些細な傷や棘はそのものよりも集中力を削ぐ点で影響が大きい。岩や木に手をかけながら進む際はグローブを着用する。安価な軍手やゴム張りの作業用手袋で十分。

野営道具

生活と休息のスペースを確保する

衣・食・住……
生活を背負って歩く

行動し、休み、食べ、眠る。生命の維持に必要な活動は、日常も野外も変わりはない。

しかし、宿が存在しない無人地帯の旅では、生活と休息の拠点をテントなどの野営道具でつくり出すことになる。

道具が増えれば生活は快適になるが、そのぶん荷物は重くなる。最小の重量で最大の効果を生む道具を集めたい。

とはいえ、道具の軽量化が進んだ現代では、過剰に荷物を削るよりもある程度の余裕をもったほうが良い場合もある。寝床を例にとると、長期の行動ではシェルターを個別にしてプライベート空間をもつほうが重量増よりメリットが大きい。行動中に別動が必要になったときにも、隊を分割・解散しやすい。

訪れる地域の状況に合っていれば、使うシェルターはどんなものでもよい。必要な居住空間と背負える重量を天秤にかけ、折り合いをつけよう。

幕営地のスペースが限られる場合は、ハンモックやビビィサック、タープなど、それぞれが使う道具がばらけていると棲み分けできる。

また、パーティーの中に大判のタープを使うメンバーがいると、雨天時に仲間が集うリビングとして使える。

それぞれが自立した旅人でありながら、集ったときにはそれぞれの個人装備が隊全体に貢献できる。そんな道具立てが理想的だ。

ドームテント

重量、強度、居住性のバランスに優れるシェルター界のオールラウンダー。数本のフレームを交差させて立ち上げ、本体に強いテンションをかけることで自立する。壁と床に囲まれた空間を生み出すので外界の影響を受けにくく、悪天候下での安心感と居住性はシェルター類の中で最も高い。その構造上、平坦な設営空間を必要とするが、それさえ確保できればどのような環境にも対応できる。

シングルウォールテント

その名の通り側壁が一枚地のテント。設営が手軽で重量も軽いものが多い。防水透湿素材を採用し、冷涼な環境では快適だが、気温が高い場所では蒸れることもある。

ダブルウォールテント

居室を作るインナーの上にレインフライをかけるタイプ。インナーとフライの間を空気が通るので通気性に優れる。ドームテントの中で最もオーソドックスなタイプ。

ワンポールテント(大)

寝るだけなら5〜6人で使用できる大型モデルにドームテントを入れた例。虫を防ぎつつ広い居住空間をつくれる。グループに一張りあると幕営地が狭いときに複数人を収容可能。

ワンポールテント(小)

こちらもドームテントのインナーと組み合わせた例。テント内部はドライな状態に保ちつつ、濡れ物を前室に広げて乾かす。このように風雨の入らない土間を自在に使える点が魅力。

ワンポールテント

モノポールテントともいわれ、中央に立てた一本のポールで四角錐や六角錐の形に立ちあげるテント。本体だけで使用すれば、雨に濡れない土間のような空間を大きく作り出すことができ、インナーを吊るせば内部に虫を寄せ付けない空間を作れる。また、中にフライをかけないドームテントを入れて通気性と生活空間を得ることもできる。周囲をペグダウンすることでテンションをかけるため、砂地や転石帯では設営に工夫と手間がかかる。

タープ

長方形のものが雨の降り込みが少なく、居住空間が広い他、展開方法の自由度も高い。タープにバグネットと併用すると通気性を確保しつつ防虫できる。暑い季節や地域では快適。

タープ

環境に応じて多様な設営が可能で、ポールがないぶん携行時の重量負担がテントより少ないことがタープの魅力。外界の変化に敏感に反応できるため、急な風雨や出水にもスムーズに対応できる。使い慣れれば耐候性にも不安は少ない。個人装備としてはもちろん、共同装備としての有効性も高い。周囲がオープンなので、高さをとればタープの下で焚き火をすることも可能。グループに複数のタープがあるだけで環境への対応力は格段に向上する。

高い汎用性

テントが自立しない場所でもタープなら設営できる。一人ぶんの就寝スペースがあれば下地に関係なく設営が可能だ。写真は岩の間に就寝空間をつくり、それを覆うように設営している。

タープ×パックラフト

荷物の制約が大きいパックラフトの旅では軽量なタープが活躍する。ラフトをマット代わりに使い、タープを天蓋に用いれば、移動、就寝、防雨の効果を少ない装備で得ることができる。

連結してホールをつくる

複数のタープを連結すれば、グループが風雨を避ける空間を作りだせる。耐候性を上げるなら低く、居住性を上げるなら高く設営する。サイズ感をそろえると連結しやすい。

焚き火を使う

そのほかのシェルター類と違って、タープはその下で焚き火をできる。しかし、火の粉や高温の空気に触れれば、変形したり燃え落ちることも。出し惜しみせずに使える価格帯のものを。

ポールを使わず、樹間に張ったロープからプルージックでツェルトを吊り下げた設営例。樹林内では最も有効な方法だろう。立ち木を支柱としているため、見た目より剛性もある。

ツェルト

ツェルトは日本で独自に進化した野営道具。1960年代後半、非常用としてではなく軽量テントとして登場した。多くのものが300g台という圧倒的な軽さとコンパクトさをもち、狭いスペースでも設営可能な点が最大の特徴。反面、内部空間は床面積からするとテントに比べて狭く、道具が多い活動ではやや使い勝手が悪い。虫や湿気を防ぐには慣れや工夫も必要だ。構造上、熱と湿気がこもりやすいので、冷涼な時期・場所での使用に向いている。

シェルター

この形の幕体の呼称は定まっていない。便宜的に非自立式でシングルウォールの野営道具をここではシェルターとして紹介する（ツェルトもこのカテゴリーに含まれるが、日本独自で歴史も長いため別項目を立てた）。長所はツェルトと並ぶ軽さとコンパクトさ。しかし設営方法の応用が効かないモデルも多く、この点がツェルトやモノポールテントと大きく異なる。平坦な地面と乾燥した環境に適合するので、日本で活躍するモデルは限られてくる。

ポールを本体に通して頭側と足側をペグダウンするだけ、と設営は簡単だが、多くのモデルが、高さが低く居住性も悪い。雨中で泊まる旅では、何らかの屋根との併用が必要。

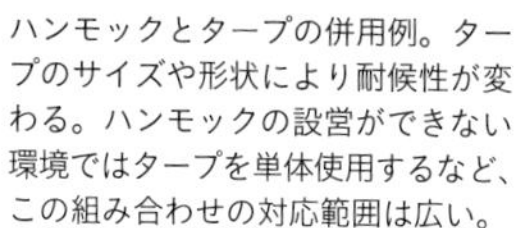
ハンモックとタープの併用例。タープのサイズや形状により耐候性が変わる。ハンモックの設営ができない環境ではタープを単体使用するなど、この組み合わせの対応範囲は広い。

ハンモック

吊る場所さえ確保できたら、傾斜地でもぬかるみの上でも就寝スペースをつくれるのがハンモックの魅力。森林が大半を占める日本の自然環境に適しているため、もっと野営道具として評価されてもよいだろう。バグネットを併用すれば、吸血昆虫を防ぐことができ、地面から浮いているのでヒルも寄りにくい。一般的にタープと組み合わせるが、マットが不要になるためツェルトやタープでのごろ寝よりも装備一式がコンパクトになる。

ビビィサック

ビビィサックは軽さとコンパクトさを最大のメリットとする、ミニマムを極めた野営道具。その性能はシュラフカバー以上、シェルター未満。生地に防水透湿素材を用い、頭部の周辺にクリアランスを設けているが居住空間はない。雨と虫を防ぎつつ眠る、という機能を突き詰めた道具で内部にマットと寝袋を入れて使う。その構造上、シュラフカバーより防虫効果が高く、ほかの幕体より小さいスペースで展開できる点で有利だが、マッチする状況は少ない。

砂浜での使用例。雨の多い日本ではビビィサックだけで行動するのは快適ではない。しかし団体装備にタープがあり、寝床として割り切るなら虫と雨を防ぎつつ眠る手段となる。

寝具類

凸凹をやわらげるためのマット、防寒に直結する寝袋

寝具類はシステムで組む

寝具は寝袋とマットをセットとして、一つの就寝システムとして考える。その目的は明快。安楽な姿勢で体温を快適な温度に保つことだ。

就寝時、体熱は空気中よりも地面側に多く逃げる。快適な姿勢を保ちつつ、地面と体を隔てるマットはおろそかにできない。緩衝性（かんしょうせい）と断熱性があるものを選びたい。

エアマットはコンパクトさと厚みを両立するがパンクに弱い。クローズドセルマットはパンクしないが嵩張る。それぞれに長所と短所があるので、フィールドと季節に合わせて最適なものを選びたい。

マットに合わせる寝袋は「遭遇し得る最低温度」に対応できる厚みのものを選ぶ。ある旅で寝袋を省略してマットとシュラフカバーで挑んだメンバーがいたが、旅の間中、彼は寒さに泣いた。

睡眠の質は体力回復に大きな影響を及ぼすので寝具選びには念を入れたい。

1. ロールタイプのクローズドセルマット。厚みは1cm程度のものが多く、耐久性、疎水性、保温力のバランスが良い。比較的安価で自由にカットもできるため、タフな旅で使われる。
2. 最近人気の薄手で硬めのクローズドセルマット。厚みは数mmだが、旧来のクローズドセルマットより素材を硬くして地面の凹凸を背中に伝えにくくした。収納サイズは小さめ。

マット

マットは発泡素材を使うクローズドセルマットと空気膨張式マットに大別でき、空気膨張式には空気を封入して弾力を保つエアマットと内部のフォームの弾力で膨らむ自動膨張式の2種類がある。クローズドセルは嵩張るがパンクの心配がなく、エアマットはパンクの危険があるがコンパクトになる。自動膨張式は、膨らませる手間がないがエアマットほど小さくならずパンクの危険もある。よって、強さが必要な旅ではクローズドセルマット、コンパクトさが必要な旅ではエアマットが現実的だ。

3.4. どちらもエアマットタイプ。分厚いエアマットは転石の上でも体を柔らかく受け止めるが、パンクの危険は常についてまわる。不整地で使うなら、ある程度生地が丈夫なものを選び、パンクした際に修理しやすい表面加工かどうかも留意したい。また、寝袋の表地との相性(滑りにくさ、摩擦音)もチェックしたい。

寝袋

寝袋に封入される断熱材には化繊とダウンがある。化繊は濡れてもある程度保温力を保つが収納時に嵩張り、ダウンは小さく収納できて軽いが濡れると保温力をなくす。装備の水没の可能性がある旅でダウンの寝袋を使うなら、化繊綿を使った防寒着も携行して水没時にも最低限の保温ができるようにしたい。寝袋はインナーシーツ、シュラフカバー、マットとの組み合わせで性能が引き出される。そのほかアイテムとの相性や、組み合わせた際の耐寒温度を意識して選ぶ。

1. ダウンを封入したサイドファスナータイプ。ダウンが高い断熱性を発揮し、幅広いファスナーは温度調整を容易にする。 2. 応用範囲の広いブランケットタイプの寝袋。完全密閉できない構造が多く、夏季用のモデルが大半となる。軽量･コンパクトなので、単体使用はもちろん他の寝袋の保温力アップにも使える。 3. 化繊綿のフロントファスナータイプ。ファスナーは重量と収納サイズを増し、保温力を低下させる。保温力重視では短い方が良い。短いファスナーを上面に設けることで、断熱性と暑いときの暖気の放出性を両立している。

インナーシーツで汚れ移りを軽減

高温多湿な環境で眠る時、寝袋表面のナイロン生地が寝汗で張り付くのは心地よいものではない。また汗、皮脂、垢が移ると寝袋は臭いを放つ。寝袋は気軽に洗濯できる道具ではないため、できるだけ本体を汚すことは避けたい。肌触りの向上と防汚で役立つのがインナーシーツだ。シルク、綿、化繊、フリース地などの素材があるが、肌触りや気温に合わせて選ぶとよいだろう。夏季ならシュラフカバーとシーツだけで眠ることもできる。

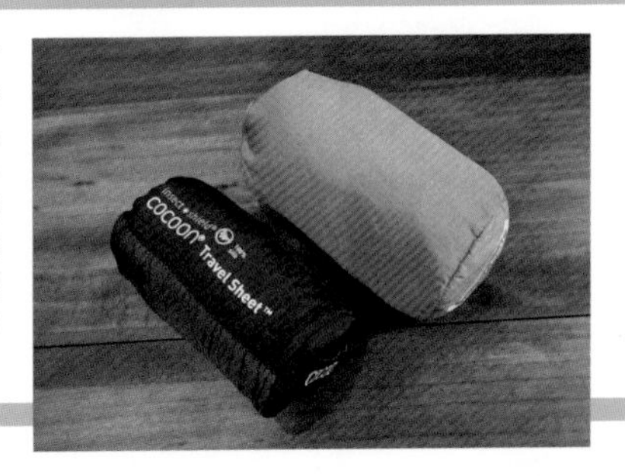

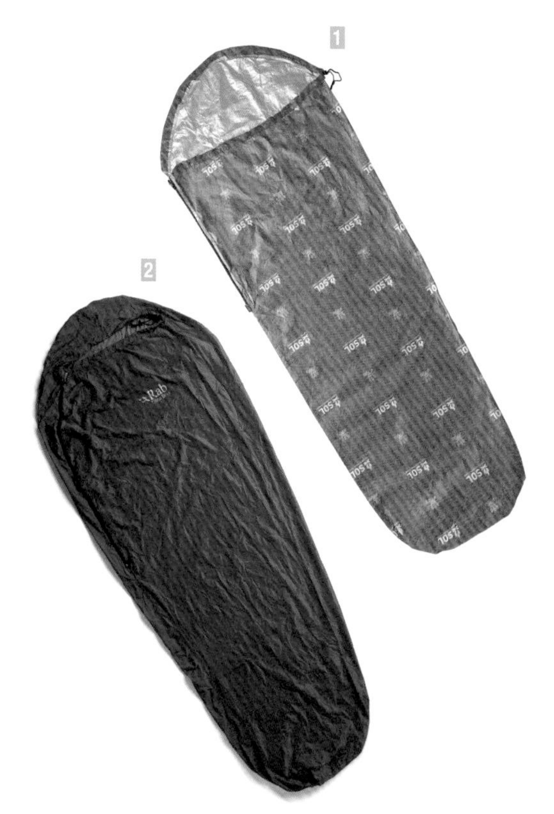

シュラフカバー

寝袋を濡れから守り、保温力を向上させるシュラフカバー。濡れることを避けられない沢登りやテント内調理により、多量の結露が発生する冬季登山で活用されてきた。注意したいのはカバーの内外の湿度差だ。カバーの外側の湿度が高い場合はよいが、逆になるとむしろムレを閉じ込める。また、サイズが小さいものを選ぶと寝袋のロフトが潰れてかえって寒くなることもある。タープ泊や焚き火端でゴロ寝する場合は、防汚の効果も期待できる。

1. 防水透湿素材の内側に熱をはね返す効果のあるアルミを蒸着。周囲からの水の浸入を防ぎつつ、保温効果も高めたタイプ。比較的細身のデザインのため、単体での使用や夏用寝袋やインナーシーツとの相性が良い。
2. 同じく防水透湿素材のシュラフカバー。こちらはより寝袋との組み合わせを意識した大きめモデル。寝袋に重ねてもロフトを損なわず、汚れと水濡れから寝袋を守る。

焚き火と調理器具

行動と生活を支える台所

道具として焚き火を使う

食材の調理、灯り、体温の維持、濡れ物の乾燥……。荷物が限られる旅において、焚き火が担う役割は大きい。

それゆえ、火を思い通りに扱えるかどうかに計画も行動も影響を受ける。どんな状況でも火を使えるように道具と技術を用意しておきたい。

焚火の道具は「火をつくる道具・操る道具」と「調理器具」に分けられる。前者は発火具や着火剤など、後者はクッカーなどだ。焚き火で米を

1
2
3

焚火用具

薪を現地調達して行なう焚き火は、多くの道具を必要としない。ライターがひとつあればほとんどの場面で煮炊きに必要な火を起こせる。そして、起こした焚き火を台所にまで高めてくれるのが軽量なグリルだ。薪とクッカーの間に金属の枠を載せるだけで調理は格段にしやすくなる。また、グリルがあれば石でかまどを組む必要がなくなる。石は熱を吸うので、ひと晩程度の焚き火なら薪だけのほうが効率がよい。また撤収時にも、黒く焼けた石を残さずに済む。

アルコールストーブ。離島や山間部でも薬局さえあれば燃料が入手できることが強み。また構造的にも壊れにくい。軽さや携行性を重視するなら、予備用ストーブとして最適だ。

ガスストーブ。OD缶の流通が増え、カートリッジの入手が容易になった。人数が多い場合のバックアップは、火力の安定性、使い勝手などの面でガスストーブの方が適している。

ストーブ

固形燃料さえ使えない非常事態に備えて、グループで一つだけストーブを携行している。燃料の入手のしやすさと携行時の大きさの面から、車でアクセスする場合は小型ガスストーブを使い、飛行機に乗る旅では、現地の薬局でも燃料が手に入るアルコールストーブを選んでいる。どちらも堅牢な構造のものが良い。

1. 焚き火用グリル。3kg程度の荷重に耐え、複数のクッカーを一つの焚き火に同時に載せられる。2. 革手袋。燃えている薪や熱せられたグリルの取り扱いに。軽量化のために片手側だけ携行している。3. ファスナー付プラスティックバッグ。革手袋、ライター、固形燃料など濡らせない焚火関連小物を収納する。中身が見えると撤収時に忘れ物が無い。4. 固形燃料。着火剤として使うならジェルタイプで良いが、非常時の炊飯に備えて長く燃える固形燃料タイプを携行。1〜2回の炊飯ができる量を携行している。5. ブロワー。火床への酸素供給用。着火時の送風や夜営の翌朝に小さな熾(おき)から再び火を起こす際に使用。調理中に火勢を増すときはまな板で扇ぐことが多い。6. ライター。電子着火式より火花を散らすフリント式のガスライターが安心。メーカーは「BIC」の安定感が高いと言われている。

炊き、一汁一菜を用意するなら、クッカーの総容量はグループの人数に2を掛けた数字を目安にすると良いだろう。5人のグループならばおよそ10ℓ。3～4個のクッカーに直径20㎝以上のフライパンを加えると、余裕をもって調理できる。

飲料水の確保

野営地に着いたら水場で水を汲み、重力落下式の浄水器に通す。水が落ちる間に薪を集めれば、火ができるころには調理用の水も溜まる。良い水が取れる場所を少人数で歩くなら、浄水器を使わず煮沸消毒してもよい。手間はかかるが携行する荷物が減る。

クッカー

アウトドア用のクッカーの素材には、アルミ、ステンレス、チタンの3種があるが、熱伝導性、重さ、剛性、洗いやすさ、焚き火との相性などから評価すると、焦げ付き防止加工を施したアルミ製のものが頭一つ抜きん出る。また、アルミ製のものは商品群が充実しており、使用者に合ったモデルを選びやすい。おすすめは柄なしで蓋があり、複数を無駄なくスタッキングできるもの。収納に薄手の袋があると煤（すす）や脂汚れが移ることを気にしなくて済む。

写真は今では廃盤となったMSRの名作・ブラックライト。4ℓ、3ℓ、2ℓ、1.5ℓの鍋にフライパンと3つのパンハンドラーを携行している。5～6人の旅では、蓋のある大鍋2つで炊飯、小鍋2つで汁物をつくり、フライパンでおかずをつくる。蓋のツマミはプラスチックパーツだったため、焚き火の熱で溶け落ちた。焚き火で使うものは極力シリコンやプラスチックが使われていないものが良い。中型の魚をタンパク源にする旅では直径30cm程度のフライパン（P59参照）も追加する。

浄水器

源流域では清冽な水が手に入りやすいが、フィールドによっては野生動物と水場を共用したり、溜まり水を使うこともある。また、現在は北海道だけではなく、本州の沢もエキノコックスに汚染されている可能性がある。安全な飲料水の確保に浄水器は欠かせない。調理に必要な水は、ひとりあたり一食でおよそ1ℓ。また翌日の行動をスムーズにはじめるためにも前日のうちに翌日分の浄水も済ませたい。これらを念頭に、用意する浄水器の数や処理力を計画したい。

ペットボトルなどの28mm口径に接続できる浄水フィルター。吐出側にもボトルを接続でき、こちら側に浄水を入れたボトルを付けて圧をかければフィルターの目詰まりを取れる。

上記の浄水フィルターを組み込んだ重力落下式の浄水システム。一度に大量の水がつくれるこのスタイルがグループ使用には適している。1～3人に1セット必要。

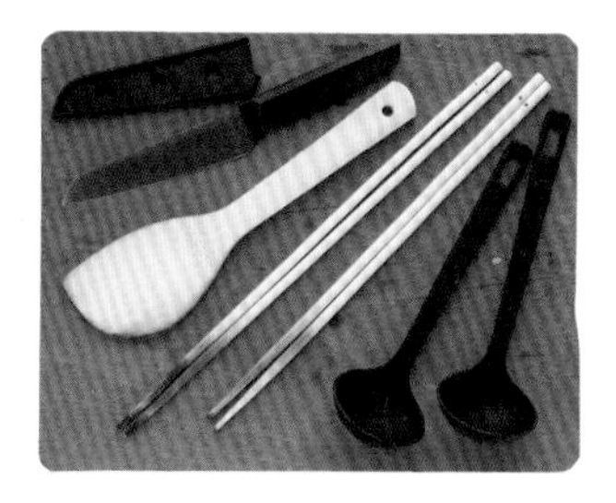

包丁、しゃもじ、菜箸、お玉、まな板。グループでの調理・配膳においては、これらの充実度が効率を左右する。器具の数が調理のボトルネックにならないよう心がける。

調理具

焚き火を熱源に大人数の食事を作るとなれば、大鍋で全員分を一度に調理できると効率がいい。当然、調理具も個人装備以上の大きさ、強さが求められる。基本の道具となるのはまな板、お玉、菜箸、しゃもじ、包丁の5点。人数が増えるごとに、菜箸とお玉は数を増やしていく。まな板は薄いベニヤ板が万能。プラスチック製より熱に強く、遠慮なく焚き火を扇げる。包丁についてはナイフの項（P96）で解説。

調理具は暗い夕食どきに紛失しやすい。特に砂地ではハンドラーや菜箸を無くす。焚き火を囲むように複数の石を置き、その上に置くなど、砂や薪に紛れさせない工夫を。

水筒

野営地で水が確保できないこともある。そのため、個人の飲料水とは別に一人あたり最低でも2ℓ、できれば4ℓ程度の水を運べる準備をしておきたい。水筒は大容量なものを一つ持つより、1〜3ℓのものを複数持つほうが使い勝手が良い。強い圧がかかっても水が漏れない構造で軽量なものを選ぶ。

個人の給水だけでなくグループ用の水を運ぶことも念頭に入れ、樹脂製ボトルやソフトボトル、ペットボトルから少量〜大容量の容器を複数用意する。破損や紛失時のバックアップにもなる。

必要な道具を作る、試す

土屋智哉

経験を重ね、道具を使い込むほど、道具の選び方は私的になっていく。必然的に道具を改造したり、自作するようになる。これまでも僕らは、自分たちが必要とするさまざまな道具を作り、試してきた。

メンバーの多くが悩んだのがバックパックだ。20kg以上の重量にも耐え、容量が大きいこと。採集漁労具などを携行しやすくて軽いこと。そしてとにかく、防水性に優れること。

このわがままに対応できるのは背負子式のバックパックだ。まずは仲間の斉藤徹がつくるPAAGO WORKSのカーゴ40に大容量のドライバッグを無理やり搭載した。しかし、カーゴ40のフレームは想定以上の重さに耐えられず、活動中に曲がってしまった。

ここから大容量&大荷重対応

耐候性、汎用性が高いワンポールシェルターは使用頻度が高いため、サイズ感や出入口の造りをより自分たち好みに。

寒暖差が大きい春先は寝袋などの試作品テストに最適だ。これはハンモックキャンプに対応した寝袋のテスト風景。

フィールドに通い続けることでその地に適した道具のアイデアが生まれる。老舗靴屋に特別注文したブーツはその象徴。

メンバー全員が輪になって集まり、その中央で焚き火が熾(おこ)せる。そんな連結式ソロタープのアイデアを盛り込んだ試作品。

歩くときはトレッキングポール、狩猟採集時は魚突きの銛(もり)、そんな唯一無二の道具はゴルフクラブのシャフトから自作。

の背負子式バックパックの開発がスタートした。試作を繰り返した結果できあがったのが、92ページのバックパックだ。

これは齊藤徹自らの手によるオールハンドメイドのワンオフモデル。残念ながら世の中にひとつしかなく、誰もが使えるわけではない。

ここからさらに改良したものが、その後に市販化されたPAAGO WORKSのカーゴ55(64ページで紹介)だ。製品化はもちろん喜ばしいが、万人に合うものはやはり「個人の最高」でないのも事実。わがままな僕らは今でもあの白いプロトタイプを使いたくてたまらない。

いつの時代も道具づくりは「欲しいものが無いから作る」ことから始まる。どんなメジャーブランドも最初は小さなガレージから始まり、歴史に残る名作も「個人の最高」を追い求めた先人がその原点にいる。

だから僕たちも「個人の最高」にこだわった道具をこれからも作り、試していくだろう。

ライト、ランタン

行動、生活、漁労・採集に欠かせない光源

ライトは明るさで選ぶ

ライト選びの指標はいくつかあるが、多くの人が最も重要視するのは明るさだろう。単独行で夜間は行動をしないなら、光量はそれほど重要ではない。しかしグループ行ではそうもいかない。

隊の都合を調整すると暗中の行動が必要になったり、他者を夜間にフォローする事態もある。また、食材を現地調達するなら、夜釣りや夜の漁にはライトが欠かせない。

夜間の行動に必要な光量の目安は300lm。ヘッドランプかハンドライトのどちらかはこの光量を満たすものを使いたい。雨中での行動もありえるなら、生活防水程度の防水性能も必要だ。

ライトを組み合わせる

ライトがないと日没以降は焚き火の前に釘付けにされる。故障や紛失に備え、常に2つ以上のライトを用意したい。

ヘッドランプは照射時間の長い光量を抑えたモデルを選び、明るいハンドライトを用意する手もある。ハンドライトはヘッドランプより迅速に対象物を照らし出せるので夜間の採集には最適だ。また、ハンドライトの電池が尽きても生活に必須のヘッドランプの電池は温存される。

焚き火周りの共同スペースには、火の周囲数mを照らすランタンが2〜3灯あるとありがたい。軽量な太陽光充電式は太陽光で再充電できるのでバックアップとして有効だ。

バッテリーボックス別体式。大光量モデルに採用される。電池は重いがバランス良く装着可能。夜間の食材の採集を行動計画に入れた旅では、大光量で光の集散が容易なモデルが活躍する。

ヘッドランプ

海辺の旅では、潮まわりの都合で薄暗がりの中、海岸線を移動したり、食糧調達に出かけることもある。こんな使い方をするヘッドランプには300lm以上の明るさが必要だ。大光量で長時間照らす使い方では、予備のバッテリーの携行は必須となる。スマートフォンがアウトドアで有効なデバイスとして定着し、モバイルバッテリーの重要度も上がったことを考え合わせると、USB充電モデルを選んでバッテリーを共有することも視野に入れたい。

LEDとバッテリーボックスが一体になった一般的なヘッドランプ。単4電池2、3本で300lmくらいまでのモデルが多い。この形式のヘッドランプで基本的な夜間行動には十分。

ランタン

グループに2〜3個あると生活が便利になるのがランタンだ。焚き火端での食事時に料理を置いた場所や手元を照らすランタンがあると、それぞれがヘッドランプを点けなくてもよいので電池の消耗を減らすことができる。また対面する仲間の目をヘッドランプの強力な光が射ることもない。大光量なものを持つより、軽量でほどほどの光量のモデルを焚き火まわりを照らすように散らすと夜間視力が損なわれにくい。

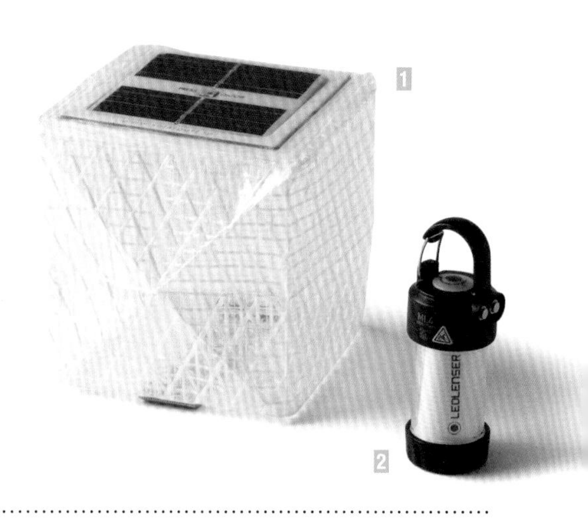

1. 非電化地域の旅で心強いのが折りたたみ式のソーラー充電ランタン。バックパックの陽の当たる面に付けておけば、行動中にその晩使う程度の電気が充電される。夜道を歩ける程度の光量がある。
2. 写真の充電式小型ランタンは充電池、もしくは単三乾電池一本で点灯する。同様のサイズ感、機能のライトは各社からリリースされており、ハンドライトとして使える製品もある。

ハンドライト

2つ以上携行するライトのうち、最も大光量なものをハンドライトにするのも一案。頭の動きに追従するヘッドランプに比べてハンドライトは素早く広範囲を探れる。また、ヘッドランプは霧の中では乱反射で眼前が光り、羽虫が多い時には光源に間断なく飛び込む。こんな状況でもハンドライトは視界を保ちやすい。夜間の食材採集においては、光量の小さいヘッドランプで周囲を確認し、獲物はハンドライトで追うと効率よく探し出せる。

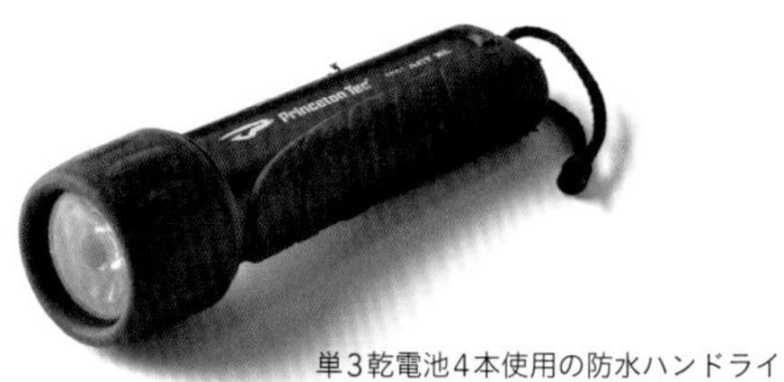

単3乾電池4本使用の防水ハンドライト。ダイビングの予備ライトとしても使われる遠距離照射に十分な光量。ヘッド部分をねじ込み通電させる単純な機構なので故障しにくい。

ナイフ

丈夫で汎用性の高いものを

シースナイフ（長）

刃渡りが180㎜あると魚の下処理、調理、木材の加工などを一本でこなせる。食料計画に大型の魚が入るときに活躍する。

ナイフは2〜3日使っていると次第に刃先が鈍ってくる。釣具店で購入できる釣り鉤用のセラミック砥石は軽量だが良い刃が付く。

魚の調理では包丁があると作業性と食味（特に刺身）が格段に向上する。薄手の包丁は持ち運ぶ手間に対して得られる効果が大きい。

包丁

実売価格1500円弱の包丁。魚や山菜などの野生食材の調理にちょうど良い大きさで軽量。調理専用なのでほかのナイフとの組み合わせが必須。

野外での刃物の役割

登山道を歩く山行では、ナイフを一度も使わないことも珍しくない。それに対して、オフトレイルの旅ではあらゆる場面でナイフを使う。

薪づくり、山菜の刈り取り、魚の解体と調理、タープの支柱となる枝の加工、ロープの切断……。鋭利な刃物は野外生活の作業効率を飛躍的に高めてくれる。

ナイフ選びで最も重要なのは「さまざまな場面を広くカバーできること」。しかしこの条件を満たす夢のナイフは存在しないので、ナイフといくつかの刃物を組み合わせて最大の効果を生み出す。

ナイフと組み合わせるのはノコギリ、マルチプライヤーの2点（99ページ）。これらがあれば作業を網羅できる。野生食材の採集に頼る旅では、さらに包丁を加えると調理時にストレスがない。ほかの刃物も使う前提でナイフを選ぶと最良のモデルを絞り込みやすい。

ナイフに使われる鋼材は高炭素鋼とステンレスの2種に大別できる。高炭素鋼は切れ味に優れるが錆びやすく、ステンレスは錆びにくい。1泊以上の旅にはステンレス刃が

収納にも注目する

収納時の姿も重要。ケースはブレードをしっかりロックし、洗いやすく、軽いものがいい。潜水作業などに使う場合はバンジーコードでケースと本体を繋いでおく。

シースナイフ(短)

この形状が汎用ナイフの世界的スタンダード。刃厚は2.5㎜で雑作業から調理までカバー。プラスチックのハンドルはハンマー的な使い方もできる。写真のものはウロコとりを兼ねるよう峰側を鋭角に削ってある。

フォールディングナイフ

オピネルは軽量フォールディングナイフの大定番。ブレードはステンレスと炭素鋼の2タイプあるが、数日におよぶ旅ではステンレスが使いやすい。刃が薄いので調理向き。

向いている。

使い勝手はブレードの形状が左右する。穴を穿（うが）つ、裂（さ）く、削るなどの作業をこなすには、鋭いポイントとカーブ部、ストレート部が必要だ。特に調理ではストレート部が長いナイフが使いやすい。

刃厚は強度と切れ味に影響する。刃が薄ければ切れ味が高まるが、薄過ぎれば欠けやすい。強度が必要な作業には厚刃、調理のような力がかからない作業には薄刃が向く。

強度面では折りたたみ式よりブレードとハンドルが一体のシースナイフのほうが強い。また、細部に食材の屑（くず）などが入り込まない。

総合すると、刃長が10～14㎝、刃厚が2.5㎜前後が汎用ナイフとして優れる。

ナタ、ノコギリ

野営を助ける大型刃物

折りたたみ式の市販品（下）と自作ノコギリ（上）では重さに倍以上の差が出る。替え刃は安価なので2000円弱で製作できる。

ノコギリ

替刃として売られているブレードに自作した木製ハンドルを装着することで、市販品よりも大幅に重量を軽減。湾曲した長め（30㎝）のブレードは太めの薪も切りやすい。

渓流刀

両刃でナイフ以上、剣ナタ未満のサイズ感の小型のナタ。クマのいる山域への釣行、グループで行動するときの汎用刃物として活躍。

剣ナタ

秋田の阿仁（あに）のマタギ御用達。切っ先の鋭い片刃の剣ナタで切れ味絶佳。薪の製材や肉の解体に使えるが、取り回しは悪い。

ノコギリは必携品。ナタの携行は地域に応じて

野営地周辺で効率よく薪を集めるために、グループで一本はノコギリを携行したい。おすすめは替え刃だけを買って自作すること。ベニヤ板等でハンドルを作れば重量を150g以下に抑えられる。

野外での雑作業用刃物にはナタもあるが、ナタは活躍の頻度に対して携行時の重量の負担が大きい。長距離歩行に携える刃物としては現実的ではない。しかし、クマが濃い山域では護身用として活躍する。遭遇時にナタで応戦して逃げ延びた例も多い。また、気持ちで負けないためのお守りにもなる。就寝時も枕元にナタがあるだけで心強い。

マルチプライヤー

現代のキャンプの必携品

マルチプライヤー

マルチプライヤーはいくつかのメーカーからリリースされているが、使いやすさではレザーマン製が抜きん出ている。ナイフ、ノコギリ、包丁などの携行するほかの刃物とのバランスを見つつ必要な機能を搭載したモデルを絞り込む。

加水分解でブーツのソールが剥がれてしまったときには針金で縛り上げて補修する。こんな修理もプライヤーがあればこそ行なえる。

鉤外しの必需品。誤って自身に鉤をかけたときは鉤先を皮膚の外に抜き、鉤先を切って抜く。プライヤーなしでは処置できない。

ドライバーでリールを分解する。常に砂まみれの海辺の旅では、機械の故障が多い。携行する道具のネジに適合するモデルを選ぶ。

大小プライヤーを使い分ける

折りたたみ式のボディに多様な機能を搭載するマルチプライヤー(マルチツール)。野外で最も活躍するのが「小さな一点を強くつかむ」機能だ。

魚にかかった鉤(はり)をはずす、ブーツを修理する、機械を分解する……。故障すると機能が損なわれる道具を使うならマルチプライヤーは必携だ。

重宝するのはキーホルダー程度のコンパクトなモデル。いつもポケットのなかに入れておけるので、ちょっとした場面ですぐに取り出せる。小型モデルを個人装備とし、グループでより大きい力をかけられる大型モデルを一本は装備したい。

ロープと安全確保の道具

危険な場所での安全性を高める

危険箇所のサポートに使用するガイドロープ(写真右)は直径8㎜、20mを目安に用意したい。状況によっては水に浮くレスキュー用フローティングロープ(写真左)も使いやすい。

ロープ＆スリング

悪場の通過支援用にグループで用意するガイドロープの目安は、直径8㎜長さ20m程度。渓流や海岸線といった水まわりでは、水を吸いにくいドライ加工ロープか、水に浮くフローティングロープが使いやすい。ロープの他には、アンカー（岩や木に作る強固な支点）の設営などに使うクライミング用スリングを2、3本、捨て縄や野営地の環境整備に使い倒せる4㎜径パラコードを10m程度用意しておくとさまざまな状況に対応できる。

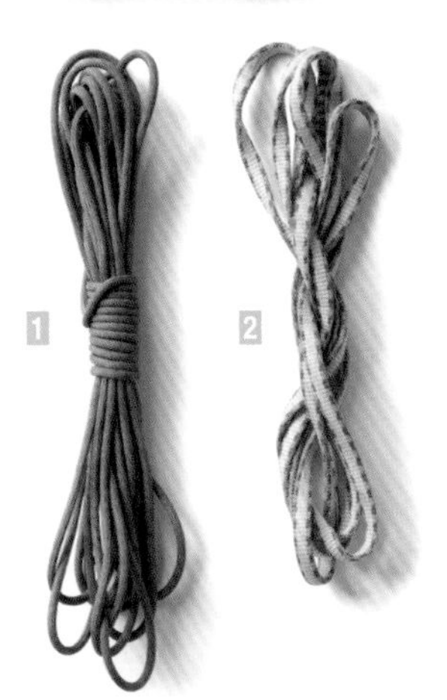

1. 汎用ロープとして活躍する直径4㎜のパラコード。耐荷重は200kg以上あるが、全体重を預けるような使い方はできない。安全確保のシステムに使う場合は補助具程度に。
2. クライミング用ダイニーマスリング。高強度で軽い。アンカー（岩や木につくる支点）を作る際に活用する。長さは60、120、180㎝とあるが、120㎝が多用途に使える。

悪場を安全に越える

崖、大岩、急斜面、両岸が切り立つ水路……。両手両足を駆使しても通過が難しい場所ではロープなどの装備が必要だ。不安定な場所での荷物の荷揚げ・荷下ろしにロープを使うだけでも安全性は高まる。

本格的な登攀には衝撃を吸収するクライミングロープが必要だが、携帯性と使いやすさではガイドロープ(衝撃吸収性は低い)が優れている。このロープはタープの梁と兼用できるので、重量面での負荷もそれほど増大しない。

転倒や落石が起こりやすい場所ではヘルメットが必携だ。墜落や溺水の可能性があるルートならハーネスやカラビナも必要になる。

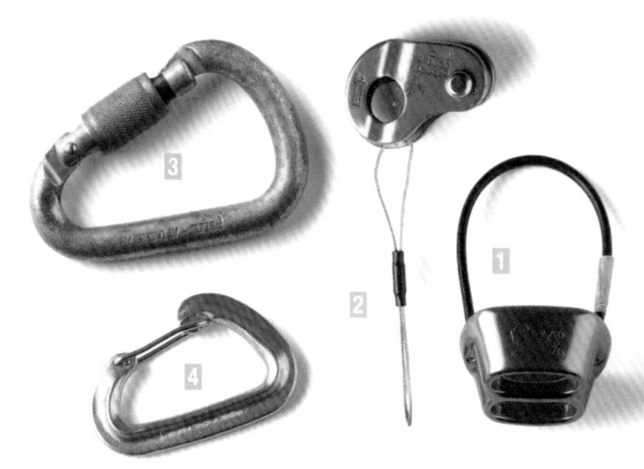

1. 確保器、下降器として使用できるATC。同様の効果はエイト環でも得られる。2. 超小型登高器。動かした位置でロープをロックしてくれる。3. 環付カラビナは個人装備に一つは加えておきたい。4. 30g以下の軽量小型なカラビナ。ちょっとした確保を取るときに軽便。

カラビナなど

悪場の通過や渡渉（としょう）で、ロープとともに使用するカラビナや確保器、登高器。カラビナは荷下ろし他の用途でも活躍し、確保器･登高器は懸垂下降などがないルートでも、故障しているメンバーや非力なメンバーをサポートしてくれる。カラビナは軽量小型のものも多いが、ゲートが大きく開く少し大ぶりのサイズが不慣れな人には使いやすい。カラビナは必ず登山に適合する強度のものを選ぶこと。

ヘルメット

岩稜を歩く登山では、携行が推奨されるようになってきたヘルメット。効果としては落石と転倒からの頭部の保護、急流で揉まれた際のガードなどが考えられる。急流の渡渉や遡行では欠かせないアイテムだが、落石や転倒が少ないシチュエーションでは、持ち運びや装着中の煩わしさの方が勝ることもある。フィールドの危険度、歩行の巧拙に合わせて使用を判断したい。

強度が低ければ意味がない。業界団体の安全基準に適合するものを選ぶ。

立ったまま装着できるものが、足場の悪い場所でも使いやすい。

ハーネス

ハーネスは本格的な沢登りでは一人に一つ必要。それ以外のフィールドでも、懸垂下降の可能性のあるルートではグループに一つは用意したい。悪場に不慣れなメンバーを、安全に通過させられる。立ったまま装着できるタイプなら、一つを手軽に使いまわせる。水切れが良い軽量なモデルだと持ち運ぶ負担が小さく、効果が大きい。

エマージェンシーキット、ファーストエイド

危険を予測してセットを組む

高頻度なトラブルに備える

一般に、野外での応急的な手当てに必要な道具を「ファーストエイド」と呼び、予期せぬ事態に備える道具とファーストエイドを合わせたものを「エマージェンシーキット」と呼んでいる。

充実を目指すとキリがないが、切り傷、捻挫、出血、風邪などの傷病と、頻度の高いトラブルに対応できる補修具は必ず携えたい。

1 2 3 4 5 6 7 8 9 10 11 12

1. 結束バンド。一度締め上げたものを強固に保持する。手軽に固定できるが、度重なる折り曲げには弱い。2. 中央に小さな穴をあけたペットボトルのキャップ。ペットボトルと飲み口の規格が共通の水筒に装着すると細く強く水を射出できる。野外でのケガは傷口の泥汚れを伴うが、このキャップがあると少ない水でも効果的に傷口を洗える。3. パラシュートコード（パラコード）。バックパックの故障やブーツのソールの脱落などで活躍する。普段使いの細引きとは別に10〜15mをバックアップとして。4. 瞬間接着剤。壊れた道具の補修に。 5. ライター。バックアップとして。フリント発火式のガスライターが長期保存しても燃料の損耗が少ない。6. ステンレスの針金。直径0.6〜0.7㎜のものが加工性と強度のバランスが良い。ブーツのソールが脱落したとき、ロープだけで補修すると地面との摩擦で切れてしまうが、足裏側に針金を使うと長時間保持できる。7. ダクトテープ。布ガムテープの高強度版。レインスーツやテントなどの補修に。8. ヘッドランプ。メインのヘッドランプ、ハンドライトとは別に小型のものを携行。9. 固形燃料。調理具の固形燃料とは別に保持。10. ドライバッグ。エマージェンシーキットは、バックパックが水没してもキットが水没しない容器に収める。11. ファスナー付プラスチックバッグ。左ページで紹介する絆創膏、洗浄綿、常備薬を収める。この袋に収めた装備は登板する機会の多いいわばレギュラー。レギュラー陣はすぐに出せる場所にしまう。12. エマージェンシーブランケット。薄いビニールシートにアルミを蒸着。軽量コンパクトだが、体を覆えば効果的に保温できる。

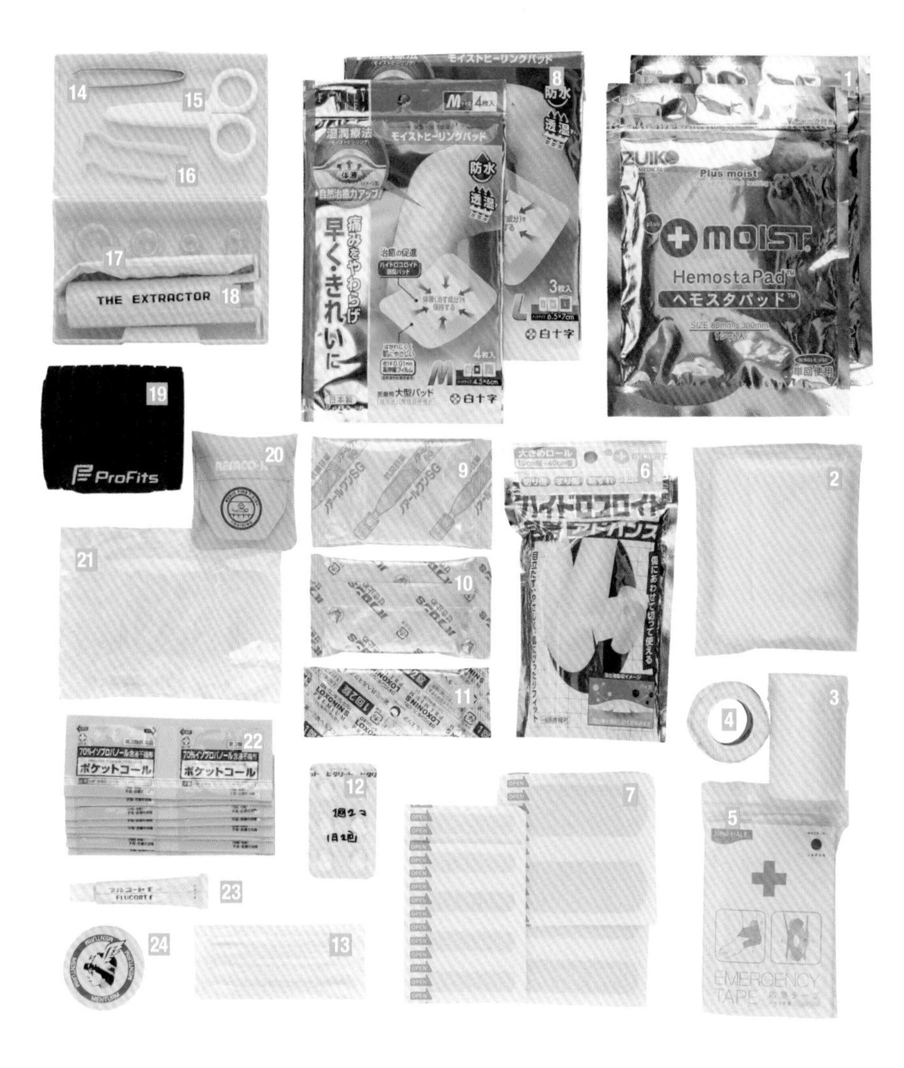

1. ヘモスタパッド。傷口を被覆するとアルギン酸カルシウム塩が血液と反応。効果的に出血を止める。2. 三角巾。傷口を覆う、腕を吊るなどいろんな用途で使えるガーゼ生地の布。3. 伸縮包帯。伸縮性があると不慣れな人でもほどよい力で傷口を保護できる。4. サージカルテープ。包帯などの固定に。5. 応急テープ。捻挫や肉離れの際に筋肉や関節を保持するテープは処置の初心者には使いにくい。このテープは故障の多い部位ごとの貼り方の解説付き。6. ハイドロコロイド絆創膏。擦り傷などの大きめのケガで傷口の湿り気を保ちつつ保護。7. 絆創膏。各サイズを多数用意。汚れたら取り替えられるようバックアップを持ちたい。8. 湿潤療法用絆創膏。効果は6に同じ。9. 抗菌目薬。目に虫が飛び込むと膿むことがある。使い切りタイプが衛生的。10. 総合感冒薬。自分の体質に適合するものを。11. 消炎鎮痛剤。いわゆる痛み止め。12. 下痢止め。個包装から取り出す場合は、用法・容量を記しておく。13. 綿棒。14. 棘抜き。小さな棘はそのものより、始終痒みや痛みで注意力を削ぐことが問題になる。15. ハサミ。包帯やテープ類のカットに。16. ダニ除去器。クギ抜き型の除去器はダニを潰さずに引き抜けるので、ダニの持つウイルスなどを体に入れにくい。17. 滅菌された針。棘の除去や水泡の水抜きに。18. 吸引器（ポイズンリムーバー）。毒を持つ生物に咬まれた場合、患部を吸引すると症状を軽減できる。19. サポーター。伸縮性と通気性の高いバンドに面ファスナーを装備。繰り返し着脱と洗濯ができる。20. 人工呼吸用弁付フィルム。人工呼吸の際の感染を防止する逆止弁を装備。21. 使い捨て手袋。処置時の血液感染を防ぐ。22. 洗浄綿。傷口の清拭に。23. 抗ヒスタミン軟膏。虫刺されなど軽いアレルギー症状を伴うケガに。24. 軟膏。日焼けで割れた皮膚の保護や靴ずれや股ずれの予防に。

ラフト、カヤック

「人力」を拡張して行動範囲を広げる道具

パックラフト

漂うように流れに身をまかせるツーリングも、ホワイトウォーターでのアクティブな操船も可能なのがパックラフトだ。アラスカの原野を自由に旅するための“担げる船”として進化してきたパックラフトは、まさに無人地帯の旅の相棒にふさわしい。強度面を心配されることもあるが、現在のモデルには十分な剛性がある。また、リペアも非常に容易だ。使用範囲の広さ、フットワークの軽さはパドルスポーツ随一といえるだろう。

滑るように水を旅する

人力移動の能力を拡張する道具には、自転車、スキー、パドルスポーツ（カヌー、カヤック、パックラフト、SUPなど）がある。自転車とスキーはほかの専門書に譲るとして、本書では無人地帯で出番の多いパックラフトとカヤックについて考えたい。

パックラフトはその名の通り、小さく梱包できる一人用ラフトボートだ。最大の魅力は2〜3kgという軽さにある。パドルやPFDを含めても

カヤック

カヤックの特徴はその航行性能の高さにある。早足程度の速さで水面を移動でき、風やうねりにも強い。また積載能力にも優れる。水、食料といった重量物の輸送では圧倒的な強さを発揮する。多島海に浮かぶ無人島や、陸路の通わぬ砂浜へのアプローチにはこれに勝る道具はない。反面、カヤックを無人地帯で使用するには経験も必要だ。操船技術はもちろん、漕ぎ続ける体力、気象判断、ナビゲーション技術など、野外生活での総合力が問われる。

古い時代から北極海の狩猟民が猟に使ってきたカヤック。アウトドア用品のなかでも、旅の道具として完成されつつある。フォールディングカヤックは人力で運ぶことは大変なものの、起点まで交通機関で移動できれば、その先は海、川で自由な旅を楽しめる。

パックラフトはコンパクトに畳むことができる。バックパックの上部に固定したり、中に収めるなど、徒歩での運搬が非常に容易だ。

船首と船尾にはDリングが設けられている。ここにデイジーチェーンやロープをかけてバックパックやデッキバッグを固定する。

非常に軽く、担いで移動できることもパックラフトの利点。浅瀬や危険な急流を回避できるので、小河川もフィールドにできる。

装備は5kg程度。徒歩の旅に組み込める重量で、急流に対応する漕行性能がある。川下りはもちろん、川や湖、内湾の横断など応用範囲は広い。

国内にもパックラフトの登場で旅が成立するようになったフィールドがいくつもある。

風の影響を受けやすく、船足も遅いなど気をつけるべき点も多いが、徒歩移動を軸とする活動との相性は抜群だ。

海や中下流域で活躍するのが折りたたみ式のフォールディングカヤックだ。積載量や航行能力の面で人力旅の道具として完成されている。

重量の面で徒歩旅行に組み込むことは難しいが、徒歩でのアプローチが困難な場所へ向かう道具としては、たいへん優れている。

道具選びが映し出す遊びの背骨

土屋智哉

年に数回、いい歳をした男たちが何日間も無人地帯で一緒に旅をする。大学時代はそんな活動ばかりだったけれど、まさかこの歳になっても同じように遊び続けられるだなんて思わなかった。気心が知れた仲間が増え、大人になったからこそできる旅を続けている。

僕たちは登山者であふれかえる山を歩くわけでもないし、環境が整えられたキャンプ場に泊まるわけでもない。かといって技術的困難がつきまとう人跡未踏の地にいくわけでもない。目指すのは人の目が届かない場所。静かに豊かに自然に浸れる場所をみんなで探し続けている。

そんな活動を毎年続けているけれど、不思議なことに僕たちの装備はほとんど被らない。もちろん同じ場所に行くのだから似通ってはいるけれど、そこにはメンバーそれぞれの経験が色濃く映し出されている。

圧倒的な登山経験を持ち、毎年のシーカヤック遠征を欠かさない者、原始的な野外技術と釣りに長けた魚突きの元日本チャンピオン、山登り以上にサーフィンと釣りに生きがいを見出している者、幼少から秩父の山と川で外遊びを体に染み込ませた者、大学探検部で人が行かない場所に行くことの面白さを知ってしまった者。全員が自分の遊びの背骨を持っている。

だからみな、自分にとって勝手の良い道具をどこからか選んでくる。その様子には感心させられるばかり。気心が知れているだけに、やっぱりあいつはこんな道具を選ぶんだと、横目で見やることはしょっちゅうだ。

仲間の使う便利そうな道具を良さそうだなと思うことはあっても、それをそのまま真似することはほとんどない。みんなして天邪鬼なせいもあるけれど、真似をするには自分自身のスタイルが確立されすぎているのだ。

　さらに自分に適した道具は自分で探したい、試したいという思いがなによりも強い。他人の道具を真似するのではなく、新たな道具を試行錯誤することの楽しさを僕たちは知っている。それがまた遊びの背骨を支える血肉となることも知っている。

　間違いのない道具選びをしたいと誰もが思う。しかし万人を満足させる道具なんてありはしない。誰もが使いやすい道具は確かにあるが、それはソツがなくクセもない当たり障りのない道具だったりする。もちろんそれはそれでよいのだけれど、野外活動における自分のスタイルが見えてくると物足りなくなってくるはずだ。

　もっと自分の個性に寄り添ったパートナーが欲しい。だから僕たちは自分なりの道具を選ぶ。結果としてそれが使いにくかったとしても、反省はするが後悔はしない。その経験こそが血肉になる。だからメンバーの誰も仲間が使う道具を否定しない。そいつにとって最高のパートナーになるかもしれないことを知っているから。

　道具の前に使い手がある。道具に使われるのでなく、道具を使いこなしたい。道具の違いなんてちょっとした性格の違いみたいなもの。どうせなら個性のあるやつらと一緒のほうが、旅はずっと面白くなる。

渓谷を釣る

目星をつけていた野営地を目指し、遡行。人間の痕跡は、釣り師の踏み跡のみ。

自力で安全を確保するためには
ロープやヘルメットは欠かせない。

今日はどんな毛鉤に魚がくるのか？
それはイワナなのか？ ヤマメなのか？

昼メシは流水で冷やしたソーメン。
水のうまさはソーメンのうまさに直結する。

渓流釣りで圧倒的に有利なのは先行者。
好ポイントには仲間よりも先に竿を出したい。

ヤマメの魚体の美しさは格別だ。釣りあげたことを少し悪く思うほど。

獲物が少ない日の夜メシは
白米と汁物が中心になってしまう。

湿った薪はモクモクと煙を上げ、早朝の光に木々を浮かび上がらせる。

本州の沢

高橋庄太郎

目の前をヨタヨタと歩いていたヒキガエルを素手で捕まえた。冷たい沢水で体を濡らしていたからか、動きがあまりにもスロー過ぎ、顔つきからも危機感というものがほとんど感じられない。

今晩の食材としてキープしておくべきか迷うが、野営予定地まではまだ遠かった。後からまた別のものを捕獲できるだろうと、そのカエルには再び自由を与えてやった。

日本の森林率は約68%。現在は大半が平野部に住み、ひと昔前に比べれば山地に暮らす人は激減した。廃村の家屋は緑に埋もれ、山奥につけられていた林道が交通不能になっていることも珍しくない。過酷な環境でただでさえ住民が少なかった山間部は、いまやますます無人の地と化している。
　特に源流部に近い沢には人影が少ない。比較的安全な登山道を外れ、わざわざ危険な渓谷へ入ろうと思う人はそうそういないのだ。首都圏からほど近い山域ですら、終日どころか数日間、誰とも会わない場所が残されており、自分たちだけの自由な時間を存分に過ごせる。
　〝渓流〟〝渓谷〟はもっとも身近な〝無人地帯〟といってよいだろう。ただし、週末を中心に釣り師の姿をちらほらと見かける可能性はある。
　沢に入って、釣りをするかしないかは、グループの行動スタイルを大きく変える。
　なにしろ沢は狭く、釣れるポイントは限られている。2～3名ならともかく、それ以上にメンバーが増えると、どこもかしこも竿だらけになり、もはや釣りにはならないのだ。
　そんなときは、釣りの技術が高く、夜メシの食材を調達できる可能性が高い者、もしくは、現在は技術がなくても今後の上達を目指し、高いモチベーションを持っている者、そんなメンバーを優先させるしかない。ちょっとオレも釣ってみたいな……などという意識の低い者は、自ら一歩引くべきだ。それがグループの〝暗黙の了解〟というものなのである。
　渓流釣りは、下流から上流に向かい、ひとつひとつのポイントに竿を入れていく。釣らない者が先行すると無用にポイントを荒らすだけだ。だから、釣りをする連中の背中を追いながら、ときおりカエルの姿を探すくらいしかやることがない。
　日本古来の登山スタイルである〝沢登り〟も下流から上流に向かうのが基本だ。そのほうが足場を見つけやすく、転倒やスリップの可能性も減らせ、圧倒的に危険が少ない。
　釣りをせず、ただ沢をさかのぼるだけなら、それなりに長い距離を進んでも、あまり時間がかからないことは多い。山中に登山道が作られる前は、木やヤブで覆われていない沢筋こそが歩きやすい場所であり、多くの旅人や杣人（そまびと）が行きかうルートになっていたくらいだ。そんな歴史ある渓谷が国内に点在している。
　それにしても、仲間が熱心に釣りをすればするだけ、どんどん時間が経ち、先へ進まない……。正直なところ、少々ヒマである。まあ、メンバー全員が食べられる釣果が出るまでは、仕方ないか。

行動術

Chapter 03

高橋庄太郎

出発の前に

The Action

パッキングは念入りに。背負い心地が悪いと心地良くないだけではなく、疲れの原因になる。忘れ物が無いかも確認しよう。詳しくはP124を見てほしい。

靴紐をしっかり締め、フィット感を調整する。履きなれたシューズなら当日に合わせるだけで良いが、新品は自宅で確認し、履きならしておく。

後悔と失敗を減らすために出発直前に行なうこと

出発は旅への期待とともに、緊張する時間でもある。

特に初日は重要だ。ここで大きなミスを犯すと、取り返しがつかない。

忘れものは無いか？

無人地帯では、買い物や補給は不可能。重要装備の確認に加え、アルコールやタバコのような嗜好品を〝念のため〟買い足すのは意外と大事だ。

飲み水は必要と思われる分量〝＋α〟の量を持つ。また、準備に使った場所を立ち去るときは、置き忘れが無いかチェック。反対に不必要なものはコインロッカーや前日泊した宿などへ預けると良い。

体調は万全か？

地図を見て、その日の想定ルートやキャンプ予定地をチェック。一人一人が確認するだけでなく、グループ全体で地図を見て、イメージを共有したい。

カヤックは船首と船尾方向の空間に、たっぷりと荷物を載せられる。ある意味、水に浮かぶバックパックなのだ。だから、カヤックにもパッキングを行なう。

これから向かうのは、病院どころかドラックストアも無い場所だ。もちろん救急車も呼べない。不安がある時は、いさぎよく断念し、共同装備を仲間に振り分ける必要がある。

壊れているものは無いか？装備の中にリペアキットは準備しているはずだが、しょせんは応急処置具。万全な修繕は、本格的な道具がそろう人間の世界にいるうちに。

パッキングやバックパックやシューズのフィッティングも大事だ。これらは出発後に調整し直すことはできるが、行動を遅らせる。最後に、地図を見ながらのルートや危険地帯の確認は、ぜひ全員で。気持ちをひとつにすれば、グループの〝行動力〟と〝士気〟が飛躍的に高まる。

荷物の持ち方の要点

バックパックの内側で防水する

荷物の防水は、内側でパックライナー（ドライバッグ）を使うのが鉄則（理由はP125左下）。ただしドライバックに入れたものは取り出しにくく、濡れても良いものはパックライナーの外へ収納する方が楽だ。乾かしたいものがあれば、メッシュポケットへ。

バックパック内側に使ったドライパック（青）。巨大なサイズを選ぶと、内部で生地が多少引きつれても、パッキングがしにくくならない。

内部へのパッキングと外付けした荷物の処理

荷物を外部ポケットに入れたり、〝外付け〟したりすると、行動中にモノを紛失したり、周囲の岩などへぶつかって、転倒や滑落の原因になる。だから可能な限りパック内部へ荷物を収納する方が良い。

理想をいえば、そうなる。だが動植物を採集しながら歩いたり、飲み水を確保しながら先へ進んだりしていると、こういう旅ではシンプルな収納は現実的ではないとわかる。

そこで、せめて外部に露出するものはすべて固定。バックパックはカバーではなく、内部にパックライナーを組み合わせる。それが実戦的なスタイルなのだ。

サブのバッグ類を活用する

スマートフォンやカメラなどは肩から下げたサコッシュなどの小型バッグへ。この時に大事なのが、一緒にファスナー付きの防水袋を入れておくこと。降雨時や深い水の中を歩く時に、すぐに内部のものを入れて防水対応できる。

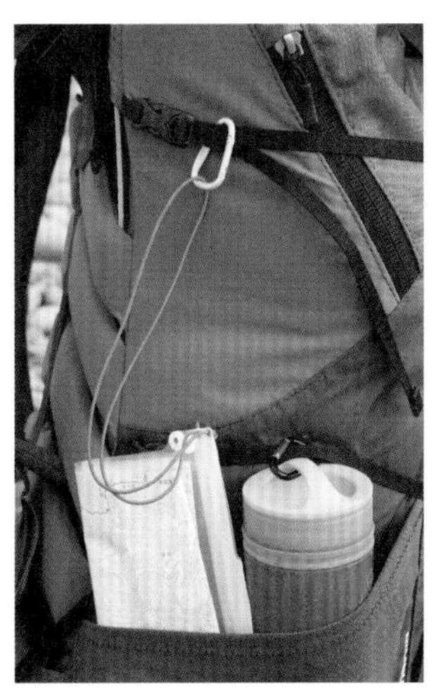

大きくて持ち歩きにくいマップケースは、行動中に紛失しやすいものの筆頭。コードに小型カラビナをつけ、バックパックにつなぐ。

パックラフトに固定したドライバッグ。川や海の上でうっかり荷物を落とすと、どこかに流れて回収困難になる。手間でも忘れてはいけない。

小物は“つなぐ”“留める”

道なき道を進むと、道具を紛失しやすい。整備されて開けた登山道とは違い、周囲の枝や岩にモノが引っ掛かりがちで、簡単に脱落するのである。しかも落としたものは岩や草木の陰に隠れ、二度と見つけられなくなる。いつも“固定”を忘れずに。

水に乏しい場所では内側に収納しきれない大量の水を運ぶことも。濡れた水筒類は滑り落ちやすく、ストラップ類を駆使して完全固定。

防水カバーは使わない！

無人地帯ではバックパックの防水カバーに出番はない。外付けした荷物と同様にカバーがどこかに引っかかりやすく、外れたり破れたりするからだ。

“+α”装備の活用

ヘルメット

岩場で落石や滑落に備えるのが主な用途だが、登山道ではない不整地や水辺は滑りやすく、沢や海岸線でも使用機会が多い。パックラフトで川を下る場合も、岩が多い場所では着用する。細かい種類の選択以上に重要なのは「何でも良いから被る」ことだ。

左上は収納に便利な折り畳めるタイプだが、少々重い。右下が一般的なタイプで、いくぶん軽量だ。それらのメリットを考えて持ち歩く。

ルート上の危険に備え すぐに取り出せる場所へ

危険地帯やヤブ、沢などの要所で活躍するのが、ヘルメットやグローブなどの装備だ。必要時以外は身に着ける必要はないため、持ち運ぶ際の重量や携行のしやすさが重要で、すぐに取り出せる場所に収納する。面倒でも、事故後に後悔しては意味がない。

これらは体から外す機会が多いこともあり、紛失しやすいギア類でもある。そこで機能に優れていても高価なものではなく、紛失しても悔やまれない安価なものを割り切って使うのも一手だ。ホームセンターやワークウェアを扱う店には、必要十分な機能を持つ製品が豊富にそろっている。

サングラス

まぶしい光を遮ることだけがサングラスの役割だと思っていないだろうか？ じつはヤブのような場所を歩くときに周囲の枝や葉が目に入らないようにする、異物からの"保護カバー"の意味も強いのだ。だから曇天でも活躍する。

サングラスは紛失しやすい。そこでストラップを組み合わせ、落としにくくする。

レインハット

レインウェアのフードを被ると、湿気と熱気がフード内にたまり、非常に暑苦しい。その点、つばが広いレインハットは蒸し暑くなくて快適だ。メガネやサングラスをかけたときは水滴が付着しにくく、視界を良好に保つ効果も高い。

グローブ

温暖な時期であれば、行動中に使うグローブは軍手でも充分だ。耐久性はレザーに劣るが、安価なのが魅力でラフに使える。軍手の繊維には多様な種類があり、化繊を混紡したものは濡れていてもあまり冷たくなく、行動用に向いている。

岩場で細かな突起をとらえるためには、グローブが無い方が良いことは多い。いつでも使えば良いというわけではないのだ。

手の平側へ全面的に滑り止めが付いているタイプ。熱で溶けやすいので、焚き火に使うものとは別に用意しておいたほうが良い。

ウェアの基本は〝下半身〟

足さばきが良い ショートパンツが活躍

行動中、腕は足に比べて動かす頻度が少ない。だから、上半身のウェアは下半身ほど可動性を考えなくて良い。また行動中は体温も上がり、あまり保温性や速乾性がなくても寒くない。つまり、上半身は意外に適当でも何とかなる。

それに対し、下半身は熟考したい。登山道のように歩きやすくはない場所ではストレスなく足を動かせることが重要だ。我々は行動用パンツにショートタイプを多用しているが、そこにタイツなどを合わせると応用度が上がる。

もちろん肌の露出に抵抗がある人や寒い時期の行動には、ロングが適している。

ショートパンツを……

温暖な時期や温かい地域を中心に活動する我々にとって、パンツはショートタイプがメイン。濡れても布地が肌にもたれず、海や川での行動に好都合なのだ。だが、擦り傷、切り傷を起こしやすく、肌寒い時もあるので……。

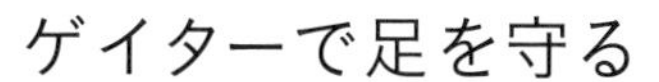

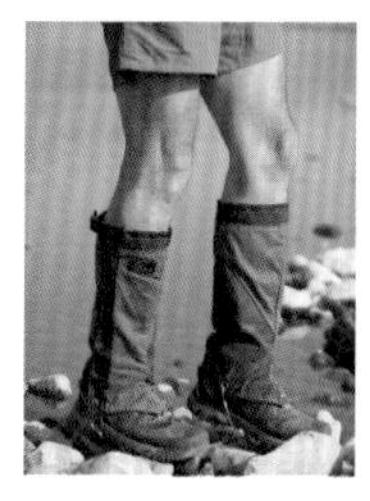

膝から下を保護しつつ、シューズ内に異物が入り込むのを防ぐのがゲイターだ。ショートパンツに合わせるのは、山中での渡渉が多いニュージーランドで人気のスタイルで、同様に水辺を歩くことが多い我々にも適している。

コンバーチブルタイプに

太もものファスナーによって、ロングにもショートにもできるのがコンバーチブルといわれるタイプ。はじめから単なるショートパンツではなく、この手のものにしておけば、必要な時にはすぐにロングにして、肌や体温を守れる。

ウインドパンツをプラス

防水性はないが、冷風を遮るのがウインドパンツ。その長所は超薄手素材ゆえの軽量性と収納時のコンパクトさだ。持ってきたのを忘れるほどで、邪魔にならない。破れを気にしなければ、ヤブや岩場で肌を保護するのにも積極的に使える。

タイツをプラス

肌や体温の保護にはタイツを合わせるのも良い。ショートパンツを脱がないと足を入れられないのが難点だが、裾がバタつかず、足さばきは良好だ。穴が空きやすいが、無人地帯なら誰かに見られて恥ずかしい思いをすることはない。

天気と風、潮汐

干潮時には硬い岩盤が露出し、満潮時よりも格段に歩きやすい。海岸では干潮に合わせて行動すべきだ。

海岸では、潮に合わせて行動する

海岸線を歩く際には確実に干潮と満潮の時刻を把握。水が少ない干潮時しか通れないという、難所は多い。また、海岸というものは陸地寄りほど大きな岩が多い。だが干潮時ならば波にもまれて小さくなった石の上を歩けるのだ。

ただの雨よりも風に注意 海で行動が楽なのは干潮時

野外行動において、天気の情報は重要だ。晴れるのか、雨が降るのかで、その日の予定は大きく変わりうる。

だが、雨という天気自体はさほど危険度を高めるものではない。ただ上から降ってくるだけなら、レインウェアを着ればよい。対応はシンプルだ。

問題は渓谷や川が増水すること。鉄砲水に流され、キャンプ地が水没すれば、簡単に命は失われる。つまり、ダムや堤防がない無人地帯で恐れるべきは増水や鉄砲水。自分がいる場所が晴れていても、上流部に大雨が降れば起こりうるので、対処が難しい。

また、小雨でも強風が吹け

海を歩行中に雨が降ると、足元が見えにくい。晴れているときが安全だ。

役に立つアプリやサイトの一例

「日本周辺域天気図」の実況天気図は3時間おきに観測時刻の約2時間10分後、
「アジア太平洋域天気図」の実況天気図は6時

“日の出日の入マピオン”

全国各地の日の出と日の入りの時間がわかり、太陽の方向も矢印で表示される。狭い谷間や入り組んだ岬や湾では太陽の方向によって日の当たり具合が大きく変わるため、テントを張ったり、モノを乾かしたりするときにも役立つ。

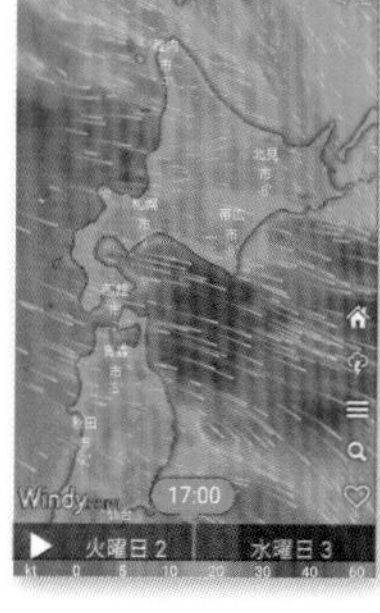

“Windy”

“Windy”という名だが、その情報範囲は風だけではなく、雨、温度、気圧にまで広がり、ビジュアル化されたさまざまなデータを地図上で直観的に見ることができる。山岳ガイドや漁師など、プロフェッショナルも頼りにしている。

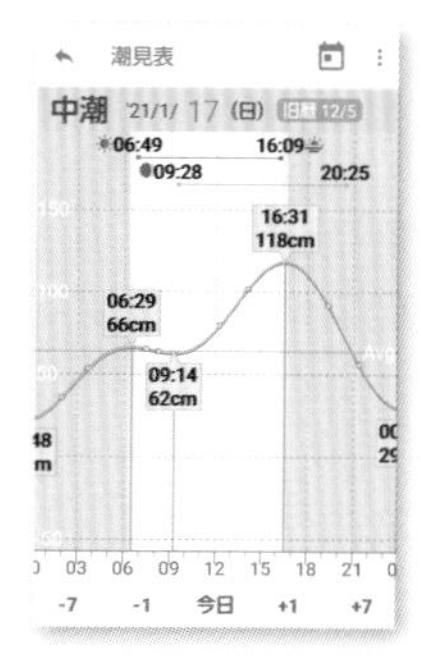

“しおさい”

海の干潮や満潮の時間、その時の海面の高さが一目でわかり、非常に便利。一日の干満の差が最も大きいのは大潮で、海岸線では一番行動しやすい時期だが、それがどのタイミングで訪れるのか、遠い先の日付までわかる。

“気象庁”

日本の天気情報の親玉ともいえる存在。サイトを使いこなせば旅が格段に安全になるが、その情報は多岐すぎるともいえる。バッテリー切れにならないように、細かくブックマークし、必要情報へ瞬間的に飛べるようにしたい。

ば、すぐに低体温症になる。フネを使う際は転覆や漂流の危険が高まり、雨よりもむしろ風のほうが怖いくらいだ。

だからこそ、細かな天気情報を得られるアプリやサイトを積極的に活用したい。小高い場所や開けた海上で電波が拾える時は、定期的にアクセスして必要情報を得よう。

ところで、海岸で行動することが多い我々は、潮汐の情報を重視している。なぜなら海岸は海底の露出面積が広がる干潮時に歩きやすく、場合によっては満潮時よりも数倍のスピードで歩けるからだ。

特に大潮の時は顕著で、魚も活性化して釣りの成果にも大いに影響する。大潮を狙って日程を決めるほどである。

地図情報と
ルートファインディング

周囲を見渡せる小高い場所に登って、現在位置を確認。いくら正確な地図やGPSを持っていても、肉眼で見ることが一番大事だ。

特徴的な地形や植生がある場所は、重要チェックポイント。見逃さないように心がけ、通過時間の記録をとっておくと、その後の行動に役立つ。

スマートフォンの小さな画面では一度に確認できる範囲が狭い。紙の地図を併用し、周辺の全体像をとらえることが安全につながる。

地図と洞察力から適したルートを見つける

アウトドアで地図は欠かせない。特に道路や標識が無い無人地帯では、地図が無ければ行動不能だ。トラブルにより単独行動を強いられる状況はつねにあり、一人一人が確実に用意しなければ、安全を確保できない。

　現代のスマートフォンで使えるＧＰＳ連動の地図アプリは有用だ。我々も積極的に利用している。しかし、電子機器は故障とバッテリー切れの問題があり、紙の地図も不可欠。また大判の地形図だからこそ、広範囲を一度に把握できる。これはスマートフォンの画面では不可能だ。

　地図で現在地と目的地を把

マップケース

無人地帯では、防水紙を使った市販の登山地図を使う機会は少ない。目的地はその範囲から外れた場所ばかりだからだ。国土地理院発行の地形図や、自分でプリントアウトした地図は雨濡れに弱く、マップケースは必携である。

マップケースはいつでも取り出せる場所へ。ショルダーハーネスに取り付けたり、ヒップハーネスに挟み込んだりすると使いやすい。

国土地理院地形図

日本全土をカバーする基本中の基本の地図。さまざまな縮尺があるが、"1万分の1"地形図は紙面で確認できる範囲が狭くなりすぎ、"5万分の1"は細かな地形を読み取りにくい。"2万5千分の1"(サイズ58.0×46.0㎝)が使いやすく、状況に応じて他の縮尺を併用したい。

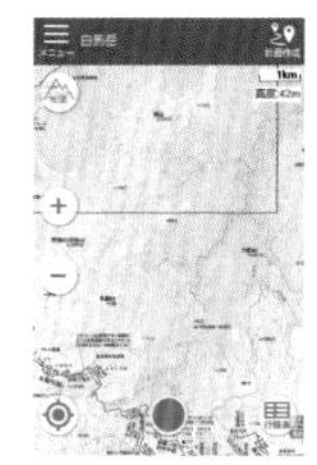

地図アプリ

最近は地図アプリが進化し、使いやすくなっている。有料の"山と高原地図"は収録されている山域が限定されるが、色使いが見やすく、登山道のコースタイムもかなり正確だ。もっとも谷間などの無人地帯は登山道から外れ、コースタイムは意味がないのだが。"YAMAP"は無料でも使用でき、全国を網羅。すべての場所で詳細な地形を確認できるわけではないが、山に限らず、海岸線から海上までログもとりやすく、非常に使い勝手が良い。

握したあとは、実際に行動を開始するのみ。この時、進むべき方角はほとんど同じでも、ちょっとした差やアイデアが疲労度を大きく左右する。

岩の上と下、どちらを行くか？　水の中と陸地、どちらを歩くか？　遠くに見える目印へ最短時間で行けるルートは？　仲間を見失ったら、どうするか？　左右数m範囲のなかで、どのラインをとるのかでも安全性は変わる。

ルートファインディングは経験豊富なメンバーが先頭で行う。その先頭がうまくルートを見つけられず行き詰った際は、次に続く者が別の方向のルートを探す。これを繰り返す。

ルート選びに絶対的な正解はない。状況に応じ、臨機応変に進むルートを探したい。

長距離、短距離のルートファインディング

内側と外側、どちらを歩くか？

海岸線では一般的に海に近い方が石は細かく、歩きやすい。だがときに足が沈み、力が入らない。反対に海から離れると石は大きく、足がさばきにくくなるが、体重は受け止めてくれる。状況に合わせ、適当なラインを探そう。

大岩は乗り越えるか、下を行くか？

乾いた岩の上はシューズのグリップが効き、体のバランスはとりやすい。一方で、岩と岩の間の高低差が激しいと苦労する。目の前の岩を登って越えるのか、下から回避するのか。その判断が正しいほど疲れを減らせる。

左／軽量な単眼鏡でも、それなりに遠くの場所を確認できる。遠方までの歩きやすいルートを考えるために持ち歩くのも手だ。右／岩のあいだがトンネル状になった場所。しかし、体と荷物を通せるとは限らない。

海を行くか、山を行くか？

潮が満ちている時は、陸地を歩いた方が楽なのか、水中を歩いた方が楽なのか、判断しかねることがある。その場合は面倒でもいくつかのラインを歩いてみて、それぞれの状態を確認すると、疲労防止と安全向上につながる。

渓流沿いを どう遡っていくか?

岩には苔が生え、倒木も多い渓流沿いは、ルートを見定めるのが難しい。目の前の岩や倒木をどう越えるか、ということよりも、数十mまで見通して、少々遠回りでも総合的に歩きやすいルートを探す。「急がばまわれ」という言葉が正に適する。

水が中に入っても音が鳴りやすいタイプが使いやすい。また、どこにあるのかすぐにわかるように、派手な色のものがお勧めである。

深い森に 迷い込まない 方法は?

ホイッスルは全員が持ち歩きたい。密林の中で仲間の姿を見失った時でも、音を鳴らせばだいたいの居場所は見当がつく。音を鳴らす回数で、"集合""問題発生"などという決まり事を作っておくと、ますます行動がスムーズになる。

森の中では簡単に先を歩く者の姿が見えなくなる。強風時や水辺では人間の声はすぐにかき消されるが、ホイッスルの甲高い音は遠くへ届く。

キャンプ地でもホイッスルはサブバッグやポーチに付け直し、つねに持ち歩くと良い。離れた場所で問題が発生した時は仲間を呼び出せる。

ホイッスルはコードをつけて首から吊るしたり、小型カラビナでショルダーハーネスのリングに付けたりと、いつでもすぐ鳴らせる場所へ。

歩き方のコツ

時には2足用意する

持参する荷物の重量を考えれば、サブのシューズはせいぜいサンダルだけにとどめたい。だが性質の異なるシューズ、例えばフェルトのソールで苔の上でも滑りにくい沢靴があれば、機動力が大幅にアップ。重量増以上の働きで危険を回避する。

歩行のための基本知識とサポートする道具

歩き方のコツとは、すなわち「滑らない」「転ばない」ための知識と方法だ。「疲れないこと」も大事だが、優先順位は〝安全〟、その次が〝疲労の軽減〟と考える。もちろん疲労の軽減は、間接的に安全性の向上にもつながっている。

まずは自分が歩く地面の特徴を把握し、それに合わせて自分のシューズの機能性を最大に生かす。それで足りなければ、簡易スパイクやトレッキングポールの力を借りる。

しかし突き詰めて言えば、歩行力とは足の筋力と、体のバランスを崩さないだけの体幹の強さだ。普段の登山などで基礎的な力を身に着けよう。

苔の上でも滑らずに

河原や水中の苔ほど滑りやすいものはない。水中が見えるほど透明度がある場所なら、あらかじめ苔が生えた石の上には足を置かないようにする。苔が生えた石でも、横からシューズのアッパーを押し付けると滑りを止められる場合もあるので、状況に合わせて試してほしい。

“浮石”は踏まない！

一般登山道は整備の手が入り、足を置くと動く浮石はほとんど見られない。しかし海岸や河原は浮石だらけ。少しでも不安定な石には絶対に足を置かない。転倒どころか、自分が動かした石に自分自身がつぶされることもあり得る。

ソールのフリクションを活かす

近年はソールの摩擦力を高めたシューズが増えている。あらかじめそんなタイプを選べば、スリップは起きにくい。さらに意識的に地面や石と接する面積が広くなるようにべったりと足を置くと、シューズの機能性がもっと活きる。

ソールの段差を意識する

ソールの裏に明確な段差（主にかかとの部分）があれば、そこに岩の角を引っかけるように意識して歩くと、滑る場所でも体をしっかり止められる。これに限らず、岩や地面には漠然と足を置かず、ソールの形状を意識すると滑りにくい。

「確実に止まる」場所を探す

足元が不安定な場所では、岩と岩の間に足をはめるように置くと、スリップ防止になる。ただし、トレイルランニングタイプのようなソフトなシューズは痛みを覚えることもある。自分のシューズの特性に合わせた歩き方を考えたい。

「砂利や砂の上」をいかに歩くか？

P134の“内側、外側”にも通じる話だが、海辺や河原は水の動きによって地面に溜まる石の大きさが異なり、支えられる歩行者の体重や荷重が微妙に違う。他の人が歩いたルートをただトレースせず、自分なりのルートを探すと良い。

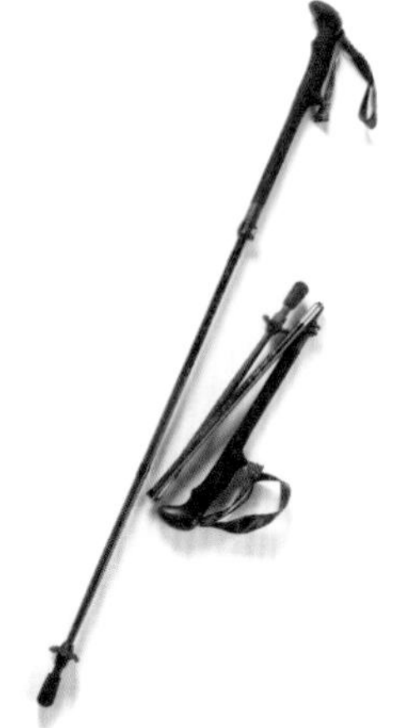

トレッキングポールの力を活かす

歩行中にトレッキングポールを持てば、それは第3、第4の足、もしくは延長された新しい自分の手になる。体の安定性が飛躍的に高まり、バランスを崩して転びかけた体も止めてくれる。浮石が多い場所などで大活躍する。

長いポールを杖代わりに。足を踏み出してからポールを突くのではなく、ポールで体を支えてから次の一歩を踏み出すと、体のバランスを取りやすい。

流れのある場所では、体の左右に突くことで、流水の圧力へ抵抗できる。水が反射して水中が見えにくい場所で、水の深さを測ることも可能だ。

丸みを帯びて滑りやすい石ばかりの浜辺で、体を支える。うまく使えば、平地同様の歩行力を発揮できるようになるだろう。

滑る場所、流れが強い場所での渡渉

一人ならトレッキングポールや木の棒の力を借りる。複数なら肩を組んだり、腰に手を回し、流れに対応できる体勢を作る。万が一流されたときはすばやく荷物と体を分離できるように、バックパックのハーネス類は外しておく。

地面に合わせてシューズにプラス

P71で紹介したような簡易スパイクの類は機動性を上げる。苔の上ではサンダルのようにかぶせるフェルトソールが有用。ぬかるんだ場所なら短い突起やスパイラルリングがついたスパイク類が便利だ。

ピンクテープを信じるな！

たくさんの人が入るような山域ではピンクや赤のテープは多くの場合、"登山道"を表し、コースの目安になる。だが、無人地帯は例外だ。テープは動植物の調査や営林所の巡回のために付けられていることが多く、これを目印だと思って歩き続けると、むしろおかしな場所に誘導され、遭難の可能性が高まる。テープを付けた人と自分たちとは、そこにいる目的が異なるということをしっかりと頭に入れておかねばならない。

ロープの使用は難しく考えない

ロープワークの難しさやハーネスの装着が面倒で、ロープの使用を億劫に思う人もいる。しかし、ただ上からたらしたものをつかむだけでも充分に安全性を高める効果がある。渡渉の際は両岸の木に結ぶだけでも良いのである。

行動中の体調管理

休憩と行動食

「休憩は1時間に1回」などと堅苦しく考えず、気温や体調に合わせ、臨機応変に。うだるような海岸では、日陰があるたびに休んだって良い。休憩時に心がけるのは、エネルギー補給。食欲が無くても少しは行動食を口に入れたほうが、体は動く。

まずは水分補給
悪化前にしっかり休む

規則正しい歩行と休憩は、目的地へ無駄なく進むには適していても、〝遊び〟には向かない。気分よく歩くためには短時間行動でも疲れたら腰を下ろし、水分とエネルギーを補給すべき。「ちょっと多いかな」と思うくらいが適量だ。

心身のストレスを減らすことは体調管理術のひとつだ。旅を振り返ると、〝休憩〟の記憶は強く、それ自体が一種の娯楽だったとわかる。

とはいえ、少しでも行動中に体調不良を感じたら、すぐに仲間に相談。悪化する前に手を打つ。条件が良い場所なら、そのまま休憩⇒野営の態勢に入り、たっぷり休む。

上／風が吹き抜ける木陰で体をクールダウン。中／ペットボトルに直結できる小型浄水器。軽量で収納しやすい。
下／外側のボトルに水を入れて圧力をかけると、内側に衛生的な水が出てくるという浄水器。フタをすればそのまま飲み水を持ち運べる。

水分補給と熱中症対策

エネルギー補給以上に大切なのが、水分の補給。水の流れる場所を把握し、浄水器を用意すれば飲み水を過度に持つ必要がなく、荷物が軽量になる。夏の海岸や河原は灼熱地獄だ。熱中症になる前に水浴びを。全身を冷やせば効果が高い。

日焼け対策

日焼けは肌を痛めるだけではなく、熱を帯びさせ、体力を奪う。しかしアウトドアでは紫外線の完全防御は不可能だと考えたい。日焼け止めや首まわりをカバーする日除け帽を利用して、徐々に体を強い陽射しへ慣れさせていきたい。

危険な生き物

クマ

ヒグマ、ツキノワグマともに人間には太刀打ちできない猛獣である。しかし実際は臆病で、無用に襲ってくることはまずありえない。発見しても騒ぐことなく、出会い頭の遭遇さえ避ければ、たいがいは向こうから逃げてくれる。落ち着いて対応をしよう。

市販のクマスプレー。猛烈な刺激を与えるトウガラシ由来の成分が含まれ、近付いてきたクマの顔面に噴射し、撃退する。お守りのように持ち歩きたい。

キツネ

人慣れしたキツネはクマ以上の実害をもたらすので非常に注意！　テントから食料を盗み出される被害が続出している。なかでもキタキツネは恐ろしい寄生虫エキノコックスを媒介するため、彼らが少しでも口をつけたものは廃棄すべきだ。

もっとも大切なのは「刺激しないこと」

捕まえて食ってやろう、と人間を襲う動物は、日本には存在しない。何か想像しがたい理由で狂暴化したクマが、ときどき出現するだけだ。

問題が起きるのは、決まって人間側から危険生物を刺激し、緊急事態と思わせてしまった時。つまり、人間が用心すれば致命的被害は起きない。

ここで紹介したものは、国内で遭遇しやすい危険生物だ。被害を複数受けるとアナフィラキシーショックを起こすハチやヒトデは要注意。他にイノシシやウミヘビ、ムカデなども恐い。それぞれの詳しい対処法はここには書き切れないので、専門書に譲りたい。

以前、右手をサキシマハブに咬まれた時の写真。幸いなことにハブのなかでは毒性が弱く、毒を吸い出しただけで大事には至らなかった。

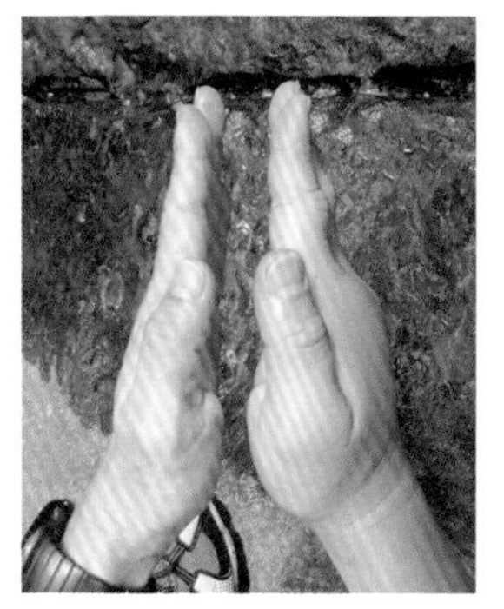

ヘビ

毒ヘビとして特に注意すべきは、マムシとハブ。咬まれたら迅速に毒を吸い出し、血清を打たねばならない。しかし無人地帯ではすばやい救助は期待できないので、足元にゲイターを巻いたりして、咬まれること自体をできるだけ回避するしかない。

ヒトデ

無毒の種類もいるが、サンゴを食い荒らす写真のオニヒトデは死亡事故を起こすほどの強烈な毒を持つ。まずは海中を視認し間違って踏んで刺されないように。刺された場合は棘を抜き、数十分お湯をかけていると毒性が弱まる。

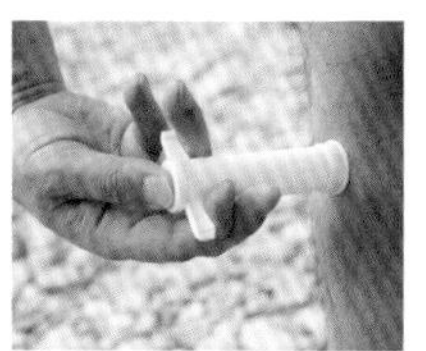

筒の内部の圧を低め、毒を吸い出すポイズンリムーバー。比較的浅く咬まれた時は効果が高い。蚊やブヨに刺された時も使える。

ハチ

日本でスズメバチに刺されて死亡する人は例年20名前後といわれており、クマやヘビ類を上回る日本最強の生物だ。彼らとその巣には近付かず、もしもの時はせめて何度も刺されないようにして、急いで毒を吸いだす。

無理はいけません

こちらは手づかみしたシャコに反撃され、数カ所から盛大に流血した際のカット。食い意地が張っていたので、流血したまままさらに獲り続けてしまった。

ヒル

じつはヒルはあまり危険な生物ではない。吸いつかれた肌から取り去った後には血がなかなか止まらず、時にはいくらかかゆくなるが、ただそれだけ。火を近づけたり、虫よけをかけたりするととれやすい。

グループ行動の方法と時間の使い方

食べられるものを入手する

キャンプ地周辺が食材豊富とは限らず、取りに行ける範囲も狭い。それに比べ、行動中は“長い線”で食材を探せ、ポイントがあれば釣りもできる。行動開始したばかりで入手したものは傷みやすいので、鮮度を保つ工夫は考えておきたい。

移動時間の活用とグループでの行動方法

その日の野営候補地へ向かう時から、すでにキャンプの準備は始まっている。

つねに心がけたいのは、食材を発見し、キープすること。これは最大級の遊びでもあり、行動が多少遅れることがあってでも途中での休憩を兼ねて行なっておきたいことだ。

スマートフォンによる情報収集や水浴び、良質な水を探すのも非常に重要である。

しかし行動中にあれこれしようとするとグループ行動が乱れがちで、いつの間にか事故を起こしたりする。

こんなときこそリーダーが統率力を発揮するべきだ。

一つの方法は、はぐれたり

遅れたりする者が出ないように、リーダーとサブリーダーで全メンバーを前後から挟み込んで歩き、つねに全員の動きを把握すること。危険察知能力が低く、トラブルを起こしそうなメンバーがいれば、余力があり、信頼できるメンバーにマンマークしてもらう。

一人だけの時に崖から落ちたり、海や川に流されたりすると、もはや見つけられない。トイレなどでグループを外れる時は単独行動はせず、必ず複数で動くようにしよう。

できれば体を清める

キャンプ地の水場が乏しいと水浴びができない。ふんだんに水を得られる場所で体を清める。温暖な時期はウェアを着たまま水を浴び、ウェアの汚れも大雑把に流してしまう。

最新情報にアクセスする

人が住んでいない地域では、電波状況が悪いのは当たり前。電波を受けられる場所では長めの休憩をとってでも、天気予報を中心に最新情報を入手しておく必要がある。重要な画面はキャプチャして画像化しておくと便利だ。

ソーラーバッテリーに充電しておく

バッテリーの充電には時間がかかる。行動時間を積極的に利用したい。何かの拍子にソーラーパネルが裏返しにならないように、しっかりと固定しておく。曇りの日でも長時間、日光にさらしておけば、それなりにチャージされる。

水を探しておく

飲めそうな水があれば、口に含んで質をチェック。不純物が少なく、塩分や硫黄分などを含まない良質であれば、大型タンクを取り出し、キャンプ地まで運ぶことも検討する。少なくても場所を覚えておけば、次回の遠征時に役立つはずだ。

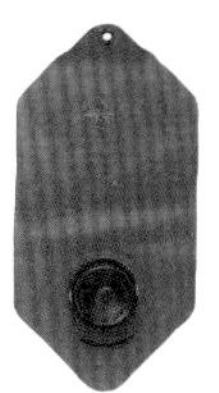

えっ、こんな使い方が!? スノーケルの道具

高橋庄太郎

そのとき、オレたちはみんなスノーケルを使い始めた。本来はきれいなお魚でも眺めようと持ってきたものなのだが……。

ある南国の島でのこと。干潮時でも首まで浸からねばならない深場もある海岸をオレたちは歩いていた。水中の様子もわからず、岩につまづいて転びかけ、何度も海水を飲んだりもした。

いやはや、つらい。いつまでこの難所は続くのか？

誰が始めたのかわからない。我々はいつしか全員マスクをつけ、スノーケルをくわえ、顔を水に付けて歩いていた。そうすると水中が一気にクリアに見え、一切つまづかないからだ。

海岸歩行にスノーケルとは、なんと斬新！　それもずば抜けた機能を発揮し、機動力が数段アップしているのである。知らない人が見れば、そのルックスと行動の仕方は明らかに不審で、おかしな密猟者と思われても仕方がない。だが、みんなすさまじく楽しそうである。スノーケルをこのように使ったのはオレたちくらいだろう。

さて、スノーケル道具は、この本のどこで紹介されているのか？　第2章「道具術」？　いや、違う。第5章「狩猟採集術」？　うん、正解だ。だが、そこでは紹介されているけれど、用途は違うな。そんなわけで、このコラムでも紹介してみた。

Chapter 04

池田 圭

生活術 ❶

The Encampment

野営地選びと野営地作りの重要性

野営地を充実させる作業はマイホーム作りに似ている

無人地帯での生活において、野営地(キャンプ地)で過ごす時間の重要度は非常に高い。夕方に到着し、翌朝は夜明けと共に出発すると考えたとしても、1日の半分にあたる時間を野営地で過ごすことになる。実際には昼過ぎには到着することもあるし、のんびり朝メシを食べながらくだらない話を続けているうちに出発が遅れたりもする。つまり、野営地で過ごす時間は、1日の2/3に近い。荒天で停滞したり気に入った場所で連泊することもあるので、もはや僕らは野営地で過ごすために出かけていると言っても過言じゃない。

前置きが長くなったが、そんなこんなの理由から野営地の選定と設営はとても重要な作業なのだ。

集団野営生活における暗黙の基本ルール

- 必要なことを考え、率先して動く
- 得意なことを得意な人が担当する
- 個人スペースは共有スペースを整えてから
- 自分のことは各自で完結させる
- 理想から離れ、ある程度の諦めも重要

設営場所選びと快適な空間を作り上げる時間は、どこかマイホームを建てる土地を決めて、住み良い家を考える作業に似ている。日当たりが良く、乾いていて、風通しの良い土地を選び出し、快適なリビングや各自が好みの部屋を作っていく。

共に過ごすメンバーは家族やシェアメイトのようなものだ。それぞれが快適な家を作るために、協力と努力を惜しまない。誰だって気持ち良く、楽しい時間を過ごしたい。まあ、サボっているメンバーがいれば、すぐにバレるので手は抜けないし。

パラダイスのような美しい無人の砂浜に泊まれるラッキーな日もあるが、ときに冷たい雨に濡れそぼった猫の額のように狭い岩場の上しか、選択肢がないこともある。そんな時は、各自が持てる知識と技術を駆使し、与えられた環境をできる限り快適にするために全力を尽くす。

これまで誰が何をするのか、特に細かい打ち合わせや指示をしたりされたりした記憶はない。回数を重ねるうちに、いつの間にか得意なことを得意な人がやるスタイルに落ち着いた。料理が得意な人が料理の準備を進め、釣りが得意な人が獲物を獲りに行き、他のメンバーは水を浄水したり、薪を拾ったり。

この何気ない、しかしお互いがお互いのためを思って動く時間こそが、チームの団結力を高めているように感じてならない。

野営地の探し方

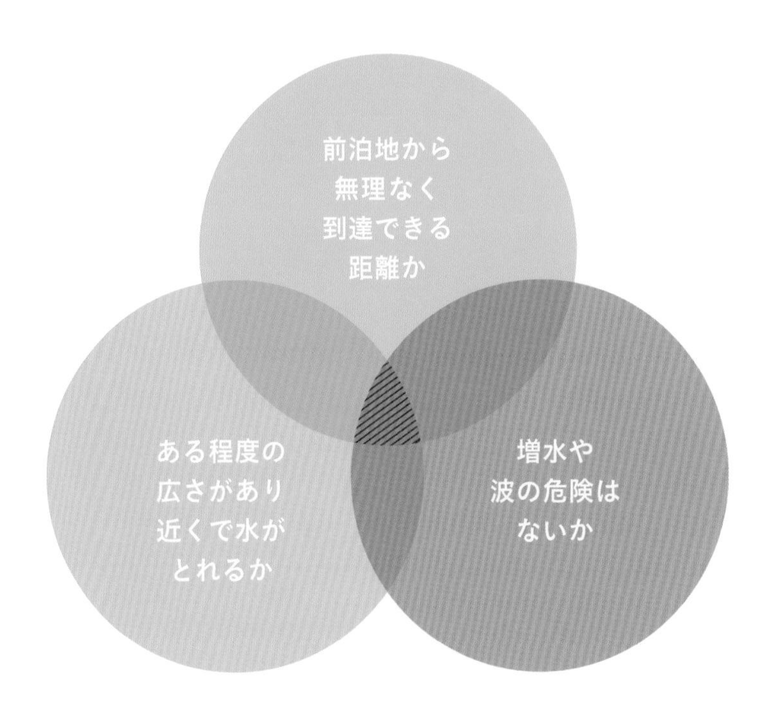

補足的条件

- 人工物が見えない場所か
- 別の候補地が近くにあるか
- 獲物が多い場所か

候補地を絞るための3つ＋αの条件

事故やケガは、自然の都合より人の都合を優先したときに起こりやすい。そのため僕らは、天候に合わせてその日の行動を決めている。しかし、行き当たりばったりでもない。出発前にあたりをつけた野営地の候補から、その日のうちに無理なく到達できる場所を選び出している。

良い野営地の条件はいくつもあるが、絶対に外せない条件は3つに絞られる。

1つ目は出発地(前泊地)からのアプローチが遠すぎないこと。あまりに遠いと必死になるあまり行動に無理が出る。物理的、体力的、時間的に余裕をもてる計画が絶対だ。

地形図

日本全国を網羅した紙の地図。等高線の具合でおおまかな地形が想像できる。山、川、海と、どのエリアで遊ぶときにも必須。2万5千分の1の縮尺が使いやすい。ウェブ版もあり。

登山地図

登山用に作られた地図。ルートタイムや水場など地形図よりも具体的な情報が載っているが、掲載範囲は主要な山岳エリアに限られる。山岳渓流の沢旅や川下りで使用している。

過去の文献

沢の遡行記録や川旅の記録をまとめたもの。執筆された時から変わっている情報も多いので、情報収集のためよりもアイデアの起点として。または歩いた場所の事実確認＆検証用。

グーグルアース

衛星写真を元に、海岸線や山の地形を立体的に見られる画期的なバーチャル地球儀システム。海岸線を拡大して辿りながら旅を妄想するのに最適なツールで、これをツマミに呑める。

オンライン上の個人記録

オンライン上には多様な個人記録が溢れている。時期や年で変化する情報も多いため、おおまかな参考用。知り過ぎてしまうとつまらなくなるので、見過ぎにはくれぐれも注意したい。

2つ目は危険がない場所であること。落石、波、荒天時の増水、風向きと強さなど、考えうるリスクを可能な限り避けられる場所を探す。

3つ目は広さと快適性。メンバー全員が寝られる広さが確保でき、快適に生活できる環境かを考慮する。近くに水場があるかどうかも重要だ。

これらの条件を満たす場所を地図やアプリを駆使して探し出す。なかなか大変な作業だが、好適地を見つけて「こんなところに目をつけたのは俺くらいじゃないか!?」と悦に入ることもある。

もう1つ気にするのが遭難者に間違われない場所であること。隠れるわけではないが、不要な刺激は避けたい。これ、意外と大事。

到着後に設営場所を選ぶ際の条件

脳内に起きうる危険をイメージしながら選ぶ

目星をつけていた野営候補地に到着したら、まずは荷物を下ろして周辺を見て回ろう。地形図やグーグルアースでおおまかな予想はつけられるが、地面の状態や森の密度、水場の有無など、実際に目で見ないと分からないことも多い。

テントを張る場所に選択肢があるなら、水場が近い草地か明るい森の中がベスト。現場の状況にもよるが、次点は河原、砂浜、岩場といったところ。落石の危険がある崖の下や風が吹き抜けやすい稜線上は避けたい。川沿いに泊まる場合は、いくら天気が良くても、上流部で雨が降っていると増水する危険があるので、必ず川面よりも一段高いところを選ぶ。

海辺の場合、景色がよく、リゾート感がある波打ち際にテントを張りたくなってしまうが、避けるのが無難。潮の満ち引き分を計算できないと、寝ているうちに我が家が床上浸水なんて悲劇が起こりかねない。

岩場

海岸線では硬く冷たい岩場しか選択肢がない場合も。波打ち際から離れた高い場所を選ぶ。

ビーチ

砂浜や粒ぞろいの砂利の上にテントを張りたくなるが避けるのが無難。そんな場所は天気が荒れると波がかぶりやすい。

草地

背の低い草地は快適な一等地。水場が近く、水捌けのいい地面が選べるならば申し分ない。

現場で確認すべきポイント
・増水や波の危険はないか
・落石の危険はないか
・水場の水は飲めるか
・設営する地面は平らで乾いているか
・雨風が強い時に避難場所があるか
・薪は潤沢か
・近くに食べられるものがあるか
・「なんか嫌だな～」という現場の感覚
高台
稜線上は見晴らしが抜群に良いが、風の通り道になりやすいため、野営地としては不向きだ。
崖の下
落石の危険があるため絶対に避ける。特に周囲に角がある岩が散らばっている所は危険度大。
森の中
雨風が凌げ、ロープが渡せる一等地。湿度が高く、風通しの悪い森は虫の棲み家なので避ける。
河原
水場が近く快適。増水を避けるため、寝床は一段上がった場所か落ち葉がある場所に設営する。

増水や波のサインを見逃さない

打ち寄せる波や川の増水、潮の干満差など、水絡みのアクシデントは命の危険に直結する。「これくらいで大丈夫だろう」の過信は禁物。やり過ぎなくらい用心したほうがいい。僕らもだいぶ痛い目にあって学んできた。

潮が満ちるライン

打ち寄せられたゴミの線が1つの基準になる。潮見表や沖合の風速のチェックも忘れずに。

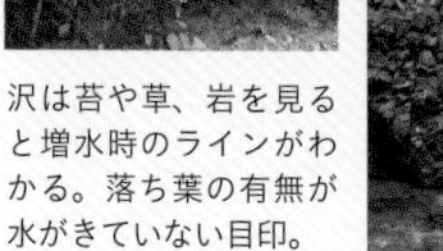

沢は苔や草、岩を見ると増水時のラインがわかる。落ち葉の有無が水がきていない目印。

NG

落石の危険がある崖下は避ける

風や陽射しを避けられるので、つい崖下にテントを張りたくなってしまう。しかし、落石の可能性があって危険。特に就寝時の落石には対応のしようがない。スペースがなくて止むを得ない場合は、必ず少し離れた場所に張る。

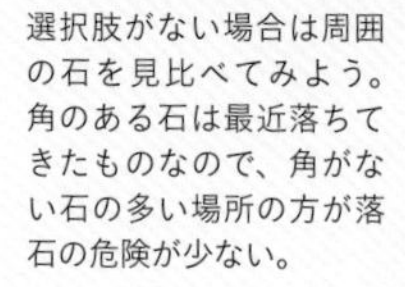

選択肢がない場合は周囲の石を見比べてみよう。角のある石は最近落ちてきたものなので、角がない石の多い場所の方が落石の危険が少ない。

選べるなら乾いた平らな地面を選ぶ

地面選びは快適性を大きく左右する。できるだけ乾いていて平らな場所を探す。なければ、自ら平らに整える。微妙に斜めになっているだけでも、実際に寝てみると案外気になるものだ。濡れた地面は不快なだけでなく、体温を奪う。

水はけがよく、整地しやすい。寒い日は砂も冷たくなりやすいので、直に寝るのは避ける。

落葉樹の森は落ち葉のおかげで冬場でも快適に過ごせる。水の溜まりやすい窪地や溝は避ける。

平らな岩棚は稀。冷えやすいため、候補地に含めるなら断熱性に優れたマットを携行したい。

ハンモックは地面の状態や広さに左右されず快適。木があるエリアでは無敵の寝床だ。

限られた中から快適なスポットを見つけ出す

野営候補地の中から、自分のテントの種類や大きさにあった快適なスペースを見つけ出す能力も重要。水場の近く、平らな地面、風をしのげる岩陰、道具を吊せる木陰の下などなど、設営前に歩き回ってよーく探してみよう。

一番快適な場所がリビングになる。その後、個人テントをどこに設営するかは早い者勝ち！

水が確保できる場所の近くがベター

川や湧水が近くにあり、飲料水を確保できることは野営地選びの基本条件。しかし、どうしてもキャンプ適地と水場が離れていることがある。そんな場合は、夕食、朝食、翌日の行動ぶんの水を各自が5ℓほど背負っていく。

野営場所での準備と設営

到着後の基本行動

飲料水を作る

リビングを設営する

個人テント(寝床)を設営する

火を起こす

薪を確保する

食べて飲んで話す
そのための入念な準備

野営場所を決定した後にやるべきことはいつも決まっている。状況によって多少順番の前後はあるものの、まずはリビングとなる場所を決める。続いて薪や椅子、テーブルになりそうなものを拾って回りつつ、それぞれが今夜の個室となるテントを張る場所を物色する。

個人テントの設営が済んだら、夕飯に向けての準備が始まる。ここからは、おじいさんは山に柴刈りに、お婆さんは川に洗濯にといった体で、各自が得意なジャンルを担当。日暮れまでにやらねばならないことは山ほどある。

中でも重要なのは、衛生的

食事

狩猟採集の結果で
献立が決まります

狩猟採集

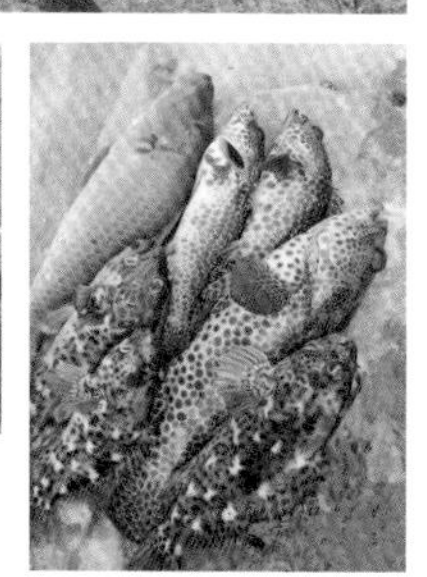

調理

夜の狩猟採集に
出ることもあり

な水がない場所で飲み水を確保するために濾過すること（169ページに紹介する）。そして、食事を充実させるための狩猟採集に出かけることだ。水の美味しさと食材の充実度は、食事の質に直結する。食事の質は長い夜の時間の質に直結する。

天気が良ければ、食事はたっぷりと時間をとってのんびりいただく。

食べる、飲む、焚き火に薪をくべる、他愛のない世間話をする。他にやることはない。そんな時間が夕方から深夜にまで及ぶこともある。

酔いが回ってから、薪を拾いにいくのは面倒だし、非常に危険。だから僕らは、いつも明るいうちに薪をたんまりと集めることにしている。

リビングスペースの設営

お洒落な映え感よりも心地良い空間作りが最優先

前述の通り、野営地の設営は住み良いマイホームを作る過程に似ている。なかでもリビングは、睡眠以外の時間を過ごす重要な場所だ。メンバーがくつろげるように、明るいうちに作り込みたい。

多くの場合、野営地のなかで最も乾いていて、平らで、風や日差しが防げる一等地がリビングに割り当てられる。最初に決めるのは焚き火の

火を中心に据える

自宅のリビングの中心が食卓だとするならば、屋外リビングの中心に据えるのは焚き火。暖がとれて、料理もできるので、自然と集まりやすい。

水の近くがなにかと便利

水場が近い場所は水を汲んだり、調理道具や食器を洗ったりできて利便性が高い。食材を冷やしたり、出発時に焚き火を消火するのにも使える。

落ちてるものをフル活用

海岸線には、実にさまざまなものが波に打ち上げられている。中には、テーブルや椅子として使えるものもあるので拾い集めて活用しよう。

場所と向きだ。まずはリビングのセンターに横長に焚き火を起こし、その両サイドに椅子を置く。すると全体は川の字のような形になる。
この3本のラインを風向きに合わせると煙を避けつつ全員が火を囲める。とはいえ、風下側はやはり煙を被る。リビングが設営されると、誰もがそっとマットを持ち出し、その晩の特等席に唾をつける。
火を焚いて料理の準備を整えたならば、あとは酒を飲むもよし、コーヒーを淹れるもよし、タバコを吸うもよし。
その光景をはたから見ると休日に自宅のリビングでお父さんたちが寛いでいる様子となんら変わらない、まあ、それくらいリラックスできる空間作りが重要ってことね。

焚き火のときのマットはクローズドセル一択！

POINT 5

焚き火の周りにゴロゴロ寝転ぶ時間は最高に気持ちが良い。エアマットは火の粉で穴が開くので、焚き火の近くで使うならばクローズドセル一択。

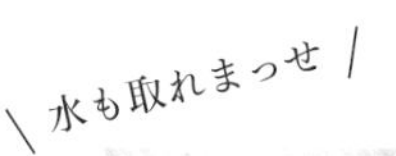

悪天時はタープをプラス

天候が崩れそうな時はタープを使ってリビングに屋根を設ける。張り方さえ工夫すれば、雨の日でも焚き火ができる(P259)。

大型の共同シェルターも選択肢

計画次第では、大型のワンポールテントを一張り携行することもある。荒天時や日射しが避けられない場所では、リビング代わりとして役立つ。

リビングを明るく彩る照明類

火があれば十分明るいが、暗い中で調理をするには照明が欲しい。ヘッドランプでも良いが、ランタンの方が食事が美味しく見える。

個人スペースの設営

寝床

テントは就寝場所でありパーソナルな空間でもある

焚き火を囲む共有スペースを家庭のリビングに例えるならば、テントは個室といえる。
この個室は単なる寝床と荷物置き場にとどまらない。40歳を過ぎた男たちが毎年のように仲良く山へ海へと繰り出せるのも、テントという個室があるからだ。僕らがケンカもせずにいられるのは、現代のテントが軽くなったおかげで個人が1つずつプライベー

設営地によって異なる選択肢

森の中

選択肢の多い幕営適地

テント、タープ、ハンモックとなんでも使える設営適地。森に泊まることがわかっていて余裕がある時は、自由度が高いからこそ、普段使わないテントを試してみることもある。大きなタープ1枚で雑魚寝のパターンもあり。

テント

タープ

ツェルト

ハンモック

砂浜

ペグは効かないと考えよう

整地しやすいがペグが効きづらいため、自立式のテントが使いやすい。雨が降っても水はたまらないが、装備が砂だらけになるのでグラウンドシートを併用すればタープも選択肢。寒い時期は冷えやすいことも覚えておきたい。

テント

タープ

ツェルト

タープの下で焚き火と一晩過ごすことも

密閉されたテントが一番暖かいが、タープやハンモックしかない寒い夜は焚き火の側で寝ることも。一晩中火を焚き続けられる薪がある場所限定の選択肢。

なにで寝るかは自由！

山でも海でも場所を選ばないベーシックなテントを選ぶか、旅先ごとに各種使い分けるかはそれぞれの判断。要は寝られりゃなんでもいいが、背負い続ける重さと快適性とを天秤にかけて、納得できるハッピーミディアムを各自が選んでいる。

トな空間を確保できるようになったからだろう。
　僕は四六時中仲間と過ごすタイプで、焚き火を離れてテントに潜り込むのはいつも最後といった感じだが、メンバーのなかには早々とテントに入る者もいる。テントの設営場所も、焚き火の近くに張るものもいれば、仲間から少し離れた場所に張る者もいる。
　このように、各自が快適な距離感を保つことは長い旅でギスギスしないための重要なテクニックだ。
　個室感の強いテント、張れる場所のバリエーションが幅広いハンモック、開放感のあるタープ、小さなスペースでも眠れるビビィサック……。
　自分がストレスなく過ごせる寝床を見つけておきたい。

ゴロタ、河原

軽量モデルは要注意

ペグが効かなくても石で固定できるので、ハンモック以外は使える。問題は石の寝心地。マットが薄いと小さな石も案外気になるので、頑張って整地するか厚めのマットを持ちたい。軽量で生地が薄いテントは避けた方が無難。

テント

タープ

ツェルト

岩場、岩棚

自立式の有り難みが身に染みる

ペグが効かないため、宿泊候補地に含めるならば自立式テントを用意したい。砂浜同様、寒い時期には冷たくなりやすく、想像以上に熱が奪われる。寝袋の厚みよりもマットの断熱性が快適性を左右することを覚えておこう。

テント

タープ

天気が良ければテントの外も選択肢

テントの個室感を楽しみたい夜もあれば、開放的に星空の下で眠りたい夜もある。気候と天気が悪くなければ、テントの外で寝るのも気持ちがいい。外で寝る場合でも、荷物をまとめたり、突然の雨に備えてテントは立てておきたい。

より快適な寝床を作るためのコツ

キャンプ場のようにきれいに整った場所ならば、ただテントを張るだけでも快適に眠れる。しかし、無人地帯ではそんな都合が良い場所は稀。寝床をより快適にするためには、場所選びから設営方法まで、少々頭を使う必要がある。

まずは基礎作りこそが重要

基礎作りこそが快適な寝床作りの最重要事項。早くテントを立てたくなるが、しっかり時間をかけたい。水平に寝られないのは想像以上にストレスが大きい。大きな石を取り除いたり、逆に石を利用して地面の段差を埋めたり、テントの大きさ分の平らな地面を作ろう。

できるだけ平らにする工夫をしよう。パックラフトをベッドに使用することもできる。

斜めでも石を積めばOK。男らしく力技で水平な基礎を作る。

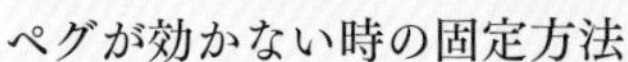

ペグが効かない時の固定方法

砂地はペグが抜けやすく、逆に岩場は刺さらない。そんな時は周りを見渡し、岩や木をフル活用しよう。効かなければ、ペグにこだわる必要はない。要はペグが刺さるかではなく、固定できるかが重要。長めの細引きを常に持っておくといろいろなシーンに対応できる。

上：ロープやスリング、カラビナは重たいが、登攀だけでなく設営にも活用できる。下：枝と岩を使う時は力のかかる方向を考えて配置しよう。

風向きや風の強さも考慮する

風向きや強さを把握してから設営を始めるとスムーズ。例えば、ペグは風上から打つとテントやタープがバタつかず立てやすい。風が強い日は岩陰や森の中を選んだり、風を逃すようにタープを低めに張ったりする。正解は一つではないので、状況に合わせて臨機応変に。

海からの風が強い日のタープの設営例。砂の吹き込みも防いでいる。

使えるものは何でも活用する

周囲にあるものや、持っているものをフル活用して心地の良い空間を作り上げよう。パドルや木の枝はポール代わりになるし、乾いた落ち葉を集めておけばフカフカのベッドになる。荷物を広げる時は地面に置かずに木に下げておくと、一目で持ち物が把握でき、砂も付かない。

木の枝に吊るして整理。ドライバッグならではの荷物管理法。

テント内の創意工夫

道具は使い方で快適に
ミニマムに暮らす
土屋邸を拝見

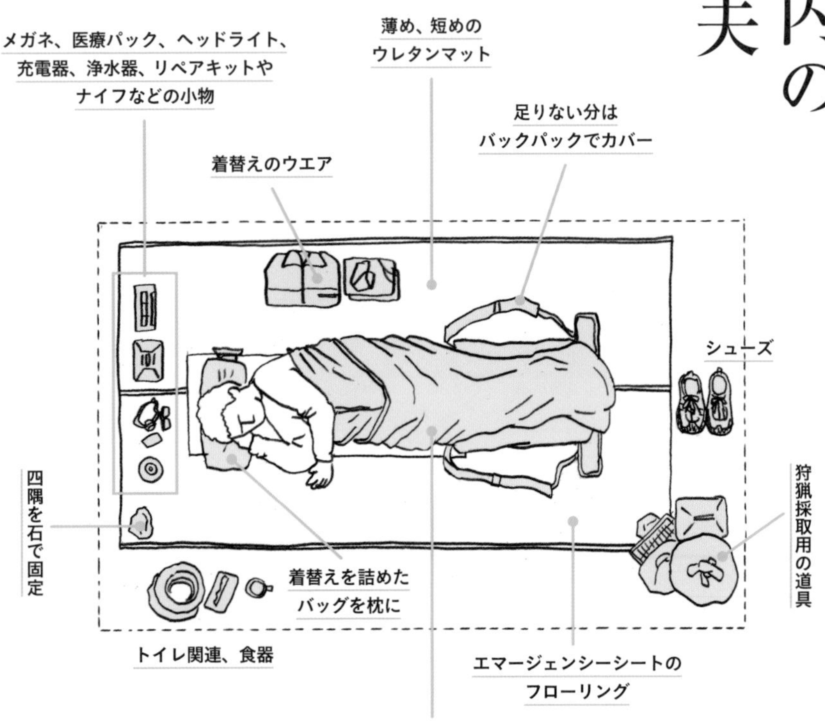

必要が形を決める可変式の我が家

地面に付けて風を防いだり、逆に風を通したりと、タープは状況に合わせた張り方が自在。

無いならば工夫をしてみようホトトギス的、ミニマムな宿泊スタイル例。張り方の自由度が高いタープをチョイス。バックパックをマットとして使い回したり、着替えを詰めた収納袋を枕にするなど、使い方で道具に複数の役割を持たせて荷物全体のスリム化を図っている。シンプルな道具立てにすると、軽さだけでなく、全体が把握しやすいメリットも享受できる。少ない道具でも状況の変化に対応できる中上級者向きなスタイルと言える。

背負える体力がありゃ、背負えばいい
ラグジュアリーに暮らす 高橋邸を拝見

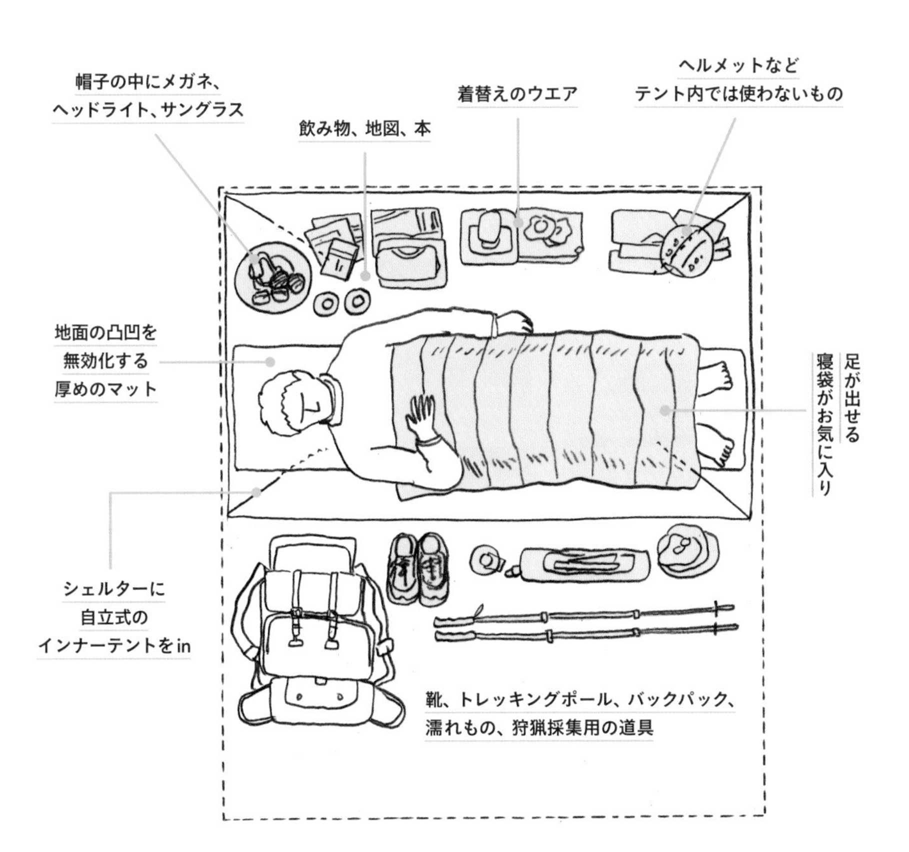

濡れものはテント内に細引を張って干すより、乾いた岩の上に広げた方が乾きやすい。

濡れものは吊るすよりも岩に広げた方が乾く

必要ならば背負ってしまえホトトギス的、ラグジュアリーな宿泊スタイル例。ワンポールテント内に山岳テントのインナーを張った仕様。マットは厚めのタイプを選んでいるので、冷たい岩や凍てつく地面、少しくらいの石の凸凹はものともしない。荷物は広いテント内にある程度広げておくと把握しやすい。軽量化が良しとされる風潮があるが、背負って歩けるならば無理に荷物を削らない方が快適に過ごせる。体力派向きなスタイルと言える。

飲み水の確保

人間の体は一日に約2・5ℓの水分を排出する

一日に排出する約2・5ℓという数字は、イコール摂取しなければいけない水分量でもある。しかも、これは日常生活に必要な量なので、朝から晩まで行動し続けるにはもっと多くの水分が必要だ。

山中や海岸線は一見水が豊富に見えるが、そのまま飲める水は少ない。海沿いでは塩分が入ってしまって飲用に向かない水も多い。想像以上に飲料水の確保は難難なのだ。

1 水を探す

2 味見をしてみる

味に違和感があれば飲まないように

3 浄水する

重要POINT

水源の上に人工物はあるか

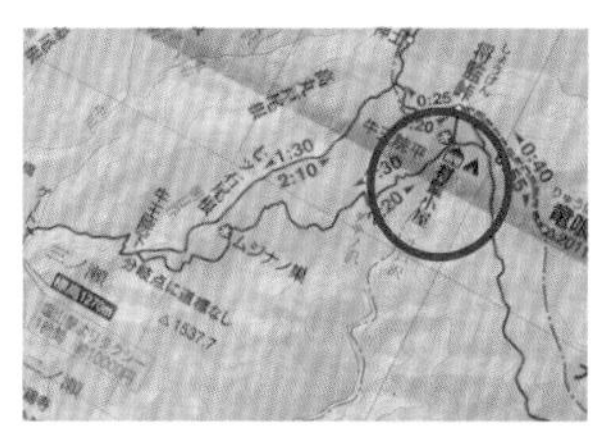

川や沢の水を飲んでもいいか否か。基準の一つとなるのが、川上に人工物があるか。山小屋などの施設がある場合、いくらきれいに見えても排水が流れ込んでいる可能性が高いので飲用は避ける。また、大きい沢筋より小さい枝沢を選ぶ方が無難。

野営地を決めると、火を起こすのと並行して飲み水の浄水を始める。一般の方々よりはだいぶ衛生的観点のラインが低めの我々でも、煮沸をしたり、浄水器を通して飲むことを基本としている。浄水器の詳細については90ページに譲るが、前述の量×人数分の飲用水を作るために、停滞している間は常に水を作り続けている印象だ。

用途は料理、食後のコーヒー、夜にお酒を割る、そして翌日の行動用×人数分と多岐に渡る。各自が手持ちの容器を全てパンパンにしても、一日もあればあっという間に無くなってしまう。無人地帯に泊まると、人間が生きるためにどれだけ水を必要としているかがリアルに感じられる。

4 いただきます

こんな時の対処法

宿泊地に水場がない

野営候補地に水場があるかどうか怪しい場合は、道中に水を汲んで背負えるだけ背負う。重たいが飲み水の重要性には代えられない。

水が乏しく節約したい

貴重な真水を節約したい。そんな時は、素麺やパスタの茹で汁は海水で済ませてしまう。どうせ塩を入れなきゃならないので一石二鳥だ。

なんだか水が不味い

湧き水や小川の水が無条件に美味しいわけじゃない。イマイチなら味をつけて誤魔化す。飽きないように、少量ずつ違う味を揃えている。

キャンプ地の虫対策

まずは刺されない努力が大事

刺される前に防ぐことが第一。停滞時は、長袖長ズボン、できればソックスも着用して肌の露出を少なくしよう。顔も刺されやすいので、バグネットも被るとバッチリ。焚き火の煙には忌避効果があるので、あえて煙が出やすい水分量の多い薪や草を焚き火にくべるのも有効だ。

煙たいのは人間だけではないらしい

長袖長ズボンが基本スタイル

文明の利器にも大いに頼る

蚊取り線香やハッカスプレーは、昔から虫の多い沢登りなどでも使われてきたスタンダードな装備。最近のワンプッシュ系の防虫剤は効果が高く、テント内やリビング周りで活躍している。

ハッカスプレー

蚊取り線香

ワンプッシュ系

刺されたらすぐに対処

かゆみはかいても治らないらしい。対処法としては、スティックタイプのかゆみ止めが塗りやすくて便利。アブやブヨなど、蚊以外の虫に刺された時のために、ステロイドを配合した強力なタイプも準備しておきたい。もちろん、蚊にも有効だ。

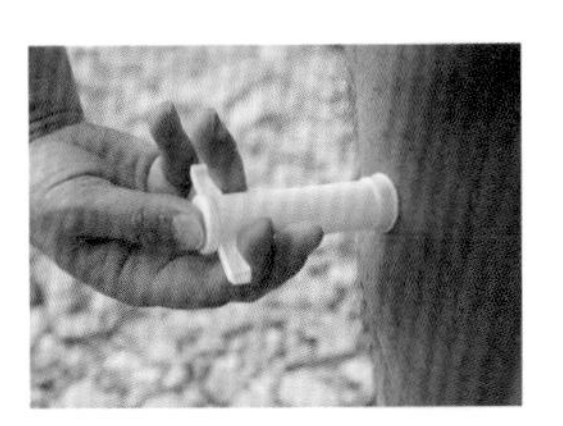

アブやブヨに刺されたら、まず傷口を絞る。ポイズンリムーバーがあると簡単。

ステロイド系のかゆみ止め

一般的なかゆみ止め

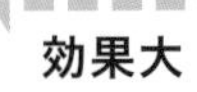

効果大

酔っ払いと足が臭い人は虫に刺されやすい

山や海の蚊は、家の近所に住むやつらよりも確実に逞(たくま)しい。シャツやパンツの薄布一枚くらいなら、お構いなしでぶち抜いてくる。焚き火の周りは煙があるからか大人しいが、就寝時にテントの中に連れ込んでしまおうものなら最悪。一晩中、奴らの羽音とかゆみに悩まされることになる。

対策としては、ハッカスプレーや蚊取り線香が昔から使われてきた。個人的には、ここ数年で一気に市民権を得たワンプッシュタイプの虫除けがかなり気に入っている。テント内はもちろん、オープンエアでも座るところの周り数カ所に吹きかけておくと、長

開放感は欲しい。虫は入れたくない。これってわがままだろうか。

時間効果を発揮してくれる。通販サイトで簡単に手に入るので、ステロイド配合の強力なかゆみ止めと併せて用意しておくと安心。当然ではあるが、長袖長ズボン+首に手拭いを巻くなど、極力肌の露出を減らすことも大切だ。

かゆみで眠りが浅くなってしまうと、翌日の行動にも影響がでる。睡眠の質が低下すると、行動中に集中力を持続するのが難しくなってしまうので、虫対策こそが旅の成否を握る重要なファクターと言っても過言ではない。

ある研究によると、酒飲みと足が臭い人は特に虫に刺されやすいらしい。自覚症状がある方は対策を万全に。ちなみに、私はとても刺されやすいのだけれど、なにか?

旅を通して本当に必要な知識が身につく

池田 圭

旅の楽しみ方は大きく2種類あると思う。全く情報のない場所に飛び込み、未知の場所と出来事を行き当たりばったりで楽しむのが一つ。もう一つは、情報をかき集めて入念なリサーチをし、その土地の良い部分を余すところなく堪能する方法。

どちらの旅にもそれぞれの良さがあるが、情報が氾濫する現代において、完全なるオンサイトで国内を旅するのは不可能に近い。かと言って、調べ過ぎて他人の情報に踊らされてしまう旅はつまらない。だからこそ、僕らはなるべく情報が少ない無人地帯を旅先に選んでいる。そこに必要最低限の知識を予習して臨むのが、いつものスタイルだ。

僕は昔から本を読むことが好きで、知らないことをなくしていく行為自体に快感を覚えるタイプだ。しかし残念なことに、

いくら頭に詰め込もうが実際に使わない9割9分の知識は忘れてしまう。だが、このメンバーで旅をすると脳内の知識に実践が伴う。本の中の植物や生物が目の前に現れたり、歴史の痕跡に手を触れることもできる。目と鼻と舌を使い、時に痛い思いも伴いつつ、記憶にグリグリと刻まれた体験はとても立体的で、忘れようにも忘れられない。旅に出るたびに、実際にできることが増えていくのだから面白い。

遠い異国の見たこともない花の名前を言えたらお洒落だけれど、旅先に自生する食べられる植物や魚が見分けられたらメンバーが喜んでくれる。もしも脳味噌のキャパシティーが限られているならば、僕はお洒落に格好つけるための知識よりも、身近な仲間とおいしいものを食べるための知識が欲しい。

海岸を進む

巨岩を越えて向かうのは、歩いてしか行けない浜辺。どんな風景なのかは、行ってみないとわからない。

上り下りが激しくても乾いた岩の上を行くか、濡れていても細かな石の上を進むか、そこが難しい。

黒潮がぶつかる海岸は、じつに荒々しい。好天のうちに難所を越えるようにする。

キャンプ地が決まれば、あとは遊ぶだけ。
思い思いに時を過ごす。

地産地消ならぬ、地釣地消。
新鮮過ぎて、うまみが出ていないことも。

いつものように焚き火を囲む。
メシを食った後は、もう動きたくない。

小雨が降り始め、焚き火の周りを濡らす。人がいない焚き火は、どこか寂しげだ。

四国の海岸

高橋庄太郎

焚き火を囲みながら話をしていると、少し遠くのほうで小さな動物のようなものの目が光った。

「カワウソじゃね？」

「捕まえるか？」

「本当に捕まえたら大ニュースで、オレたち、こんなところでのんびりできなくなるよ」

現在は絶滅したと見なされているニホンカワウソの〝確実〟な最後の目撃情報は1979年。高知県の須崎市だ。近年も写真やムービーの撮影に成功したというグループがあり、今も生息の可能性が無いわけではないというのがおもしろい。

四国、特にその南半分は険しい山々がそのまま水没するかのように海と接し、海岸線近くに道路が走っている場所はかなり少ない。そのために陸上からは簡単にアプローチできない浜辺がいたるところに残されている。
　昔と変わらぬ無人の海岸ならば、確かに今もカワウソが暮らしていても不思議ではない。人気が少ない海と川といった水辺には、まだまだエサとなるものが充分残されていることだろう。
　そんな場所だからこそ、四国の海岸はオレたちの自由な遊びの場になる。
　カワウソは少々うるさく思っているかもしれない。魚やエビを横取りされていると考えているかもしれない。だが、せいぜい数日滞在するだけなので、許してもらいたいものだ。
　黒潮がダイレクトにぶつかる浜辺には、波でちぎれた海藻が広がっていた。だが磯臭さとは無縁で、漂着しているゴミも少ない。海は透明感が高いブルーに光り、さわやかな風が吹いている。目に飛び込んでくるもので最も汚らしいのは、昨晩の焚き火でいぶされ、灰を被った仲間の姿だ。
　山の中から流れ出る小さな水の流れを見つけたオレたちは、顔を洗い、頭を洗い、しまいには全身を流れにつける。
　初秋の四国の海岸は、ほとんど真夏と変わらない。水浴びをするのは、衛生面の問題だけではなく熱中症対策でもあるのだ。
　予報によれば、天気がマシなのはあと一日。それ以降は雨が降り、風が強くなるという。
　だが、雨や風は大きな問題ではない。ここで本当に恐れるべきものは〝波〟である。
　岩や石が転がる海岸には、波から100％安全な場所は無い。悪天時、定期的に波に襲われているからこそ、草木などの植物ではなく、石と岩の世界なのだ。
　安全なうちにすべてを撤収し、カワウソの世界から人間の世界に戻らねばならない。
　予定を早く切り上げることにして、最後の夜を迎えた。
　メシは食い切れないほど、たっぷり。こういうときは食材を余らせても仕方がなく、むやみに豪華なメニューになるのはいつものことだ。
「海や川が荒れたら、カワウソはどうするんだろう？」
「まあ、オレたちとは違うから、簡単には死なないでしょ」
「オレらは、さっさと帰らないとヤバいね」
　小雨が降ってきた。明日は雨の中の撤収か？　気が重くなるが、波に流されてしまうよりは良いのである。

狩猟採集術

Chapter 05

藤原祥弘

野生食材の採集と活用

The Fishing & Gathering

食材を調達することで身軽になる

人力で荷物を運ぶ無補給の旅を思い描いた時、旅の長さは食料に左右される。衣食住のうち、衣と住の重さは変わらないが、旅が長くなるほど食料は重くなる。背負える食物の上限が、行動できる期間を決定づける。

それなら、食物をすべて現地調達で賄(まかな)えるようになったらどうだろう？　背負っている道具だけで、ずっと旅を続けることができる。

現実的にはすべての食料を採集で賄うことは難しいが、行動中に必要なエネルギー源やビタミン類を賄うのはそれほど難しくない。

南西諸島か初夏〜秋の南日本であれば（フィールドの生産力にもよるが）、旅の間に必要な動物性タンパク質のほとんどを魚や甲殻類から補給できる。また、山菜や野草は傷みやすく重量もある生野菜の代わりとなる。

採集技術を身につけ、可食、不食を判断できるようになるには、それなりの訓練を要するが、同じフィールドを繰り返し歩くうちに食べられる食物の知識は増え、食料計画に盛り込めるようになる。

この本を作るチームでは、今やタンパク質とビタミン類は行動中に調達することが当たり前になった。そのため、持ち込む食料の中心は炭水化物（米、乾麺類）と不漁に備える少々の乾物類、調味料、薬味という構成になっている。

欠乏しがちな栄養素の補給

行動が数日に及ぶ時、身体が欲するのがビタミン類。しかし、衝撃や高温に弱く、嵩張る生野菜を持ち運ぶのは難しい。そこで役立つのが食べられる植物を見分ける能力だ。この力があれば、フィールドは新鮮な植物を蓄える食料庫になる。

新鮮なタンパク質を大量に確保

水辺に沿う旅なら、タンパク質の確保は難しくない。人に利用されることの少ない無人地帯は魚の宝庫。渓流であれ磯であれ、水中はうぶな魚であふれている。フィールドに合わせた釣りの技術は真っ先に身につけておきたい。

食べることで土地との関係を深める

野生食材は風景の見え方も変える。ただの巨岩がカサガイの漁場になり、リーフの切れ目は根魚の巣になり、波打ち際の海浜植物(かいひんしょくぶつ)はサラダに見え出す。用足しに森に入れば、目は立ち枯れに生えるキクラゲを探すだろう。

その土地の食物を食べることは、その土地そのものを摂り込むことでもある。ただ通りすぎるよりも、関係性は何倍も深くなる。

そして、食物を探すことは、遠い先祖たちの感覚を呼び起こす体験でもある。狩猟採集生活が営まれていた時代、食物を探すことは最大の関心事だった。また、現代においても、人間以外の野生生物は、摂餌に多くの時間を使っている。

自力で採集した食物を焚き火で調理して食べることには、生物としての素朴な喜びがある。現代のアウトドア界で焚き火料理に人気があるのは、先祖たちの重ねてきた経験も影響しているだろう。私たちの体は、仲間と獲物を囲むことを喜ぶようにできている。

そして、ハイカーが数日かけてやっとたどり着けるフィールドは、釣り人がよだれを垂らす釣り場でもある。

人の手が入らない地域は生命が濃い。まったくの素人であっても、餌やルアーを投げ込めばたちまち魚が食らいつく。そんなフィールドを歩くのに、荷物に採集道具を忍ばせない理由はない。

採集の基本技術

採集技術は調理と一体

たとえ大魚を釣ったとしても、さばく道具と技術がなければ活用できない。食べることを目的とするなら、身につけるべき知識や用意する道具は、調理の技術とワンセットで考える。

漁具を運ぶ負担と漁果は見合うか

道具の重量が採集できる獲物に見合わなければ本末転倒だ。写真は大仰な道具を持ち込んだ旅での貧しい漁果。長い足ひれや濡れたウェットスーツの荷重に対して得られた魚は少なかった。環境に合った漁具の見極めは最も重要だ。

採集は一日にして成らず

風景の中から獲物を見つけ出し、採集し、食べられるかどうかを見分けられるようになるには時間がかかる。

いちばん簡単な習得方法は、詳しい人とともに歩くこと。食材が好む環境や、似ている種との見分け方、食べ方などを効率よく覚えられる。

独学するなら手引きとなるのは図鑑類だ。多くの本が環境別に紹介しているので、自分が訪れる地域・環境に則したものを入手したい。

しかし数gでも軽くしたい旅では重量の負担が大きい。最近は複数の図鑑をオンラインで参照できるサービスもある。電波が入る地域なら選択肢の一つになるだろう。

図鑑と実物で覚える

独学するなら図鑑と実物を突き合わせて目と舌で覚える。タラやウド、ギョウジャニンニクといった人気の山菜は苗木が買える。庭に植えて観察していると山でも自然に目につくようになる。

廃村には野生化した食材が残る

南西諸島の海辺や九州・四国の沢沿いには、新しい地図では紹介されない廃村がある。廃村の近くには水場があり、野生化した作物があることも。廃村の場所は国土地理院の過去の地図や地域の図書館の郷土史などから知る。

南の島で出会った野生化したサトウキビ。数十年前に隠れ住んだ人が植えたものらしい。

採集のルールを知る

遊漁者に採集が許される水産物の種類や行なっても良い漁法は都道府県ごとに「漁業調整規則」に定められている。また川には漁協の取り決めがある。そのほかにも地域が定めるローカルルールもある。抵触に注意したい。

知らないものは食べない

写真はシガテラ毒を持つこともあるバラフエダイ。植物、甲殻類、魚類を問わず、毒のある食物はどの地域にも生息する。美味しそうに見えても、確実に安全性が確かめられるものしか口にしないことは採集の鉄則だ。

資源を貪(むさぼ)らない

抱卵中の生物や小さい獲物は逃す。山菜は一カ所から過剰に採集しない。これらは採集者に守られてきた暗黙のルールだ。目の前に獲物がいるのはそれを育む豊かさがあったからこそ。その豊かさを損なう利用は慎みたい。

利用できる野生食材

キノコ

日本国内でも数千種類が分布。食菌も多いが有毒種も多く、間違えたときのリスクも高い。手始めに覚えるべき種類はキクラゲとアラゲキクラゲ。暖地の水辺の立ち枯れで簡単に見つかり、間違いやすい種に有毒なものが少ない。

魚類

淡水、海水のフィールドを問わずまとまった量を得やすいタンパク源の王様。魚種によっては脂質にも富む。必要な道具が軽量で採集にかける時間に対して効果の大きい魚釣りは、野生食材の調達において最初に覚えたい技術だ。

山菜・野草

野生食材の代表だが、食用種の同定に近道はない。地道にひとつずつ覚えていく。山の山菜は春から初夏が盛期。一つ覚えるなら大河川の下流部や古い集落跡、海辺に多いハマダイコン（左）。葉を通年利用でき、量も確保しやすい。

球根・根塊

野外で手に入りづらいデンプン質を多く含んでいるが、土中に埋まっているので採集には時間と手間がかかる。全国の平地に自生し、同定と採集が容易なノビル、山地〜平地に生えているヤマノイモなどから覚えたい。

まとまった量が採れて美味な食材を狙う

図鑑で〝食べられる〟と紹介される食材でも、〝栄養があって美味しいもの〟から〝害はないが食べる理由もないもの〟まで、その幅は大きい。

　また旬が長い動物に比べて植物は収穫適期が限られる。盛りに合えば大量に手に入るが、それ以外の季節ではまるで使えない種もある。さらに、行動中に調達できて、〝広いエリアから少しずつ集める〟という採集のマナーまで適用すると、まとまった量を集めるのはなかなか難しい。

　半端な採集は移動速度を遅らせ、調理する量に満たなければ命を無駄にする。効率と自然への負荷も意識したい。

甲殻類

食用種は多いが、携行できる道具でも獲れるのはモクズガニ、ガザミ類、テナガエビ類など。夜間に浅瀬や海に近い小河川をライトで照らすと岩陰から出てきたものを採集でき、効率もよい。採集方法は後述。

爬虫類

淡水のカメ類と本土の大型ヘビ類が対象。採集後、生かしたまま運びやすいのが魅力。淡水カメ類は本来の分布域でない場所のスッポンと外来種だけを利用する。南西諸島のヘビ類は希少種も多いので利用は慎みたい。

堅果(けんか)

食用になる種の盛期は秋。ドングリ類を砕いて水でアクを抜けば大量のデンプンを取れるが、行動中にできる作業ではない。渋みの少ないクリ、ブナ、スダジイ、マテバシイ、ツノハシバミは炒るだけで食べられる。

頭足類(とうそくるい)

地域、年度で個体数の差が大きいが、タコとイカも狙って獲れる獲物。イカには「エギ」タコには「タコエギ」という専用の擬似餌があるので、海辺を歩くなら釣り具に忍ばせたい。なお、採集禁止の地域もある。

両生類

肉量と資源量の面から食材になるのはヒキガエル類とウシガエル。食味はウシガエルのほうが良いがウシガエルは人里近くに多い。ヒキガエルは体表に毒があり、身が苦い個体もいる。多食は避けたい。

液果

遭遇率が高く量が採れて実の糖度が高いのはクワ類とアケビ類、サルナシ類。クワ類は初夏に結実し、アケビ類とサルナシ類は晩秋に成熟する。写真の右がアケビ、左はアケビに近縁で西日本の海辺に多いムベ。

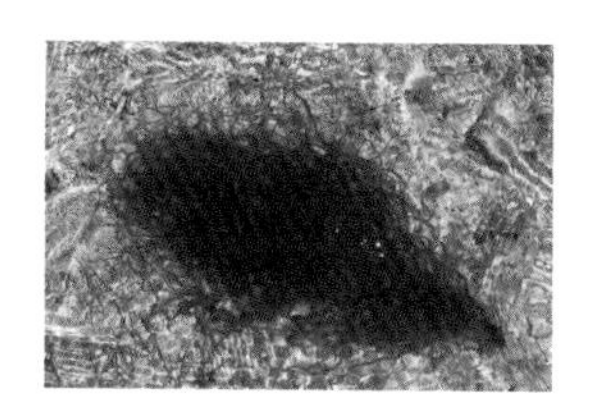

海藻

本土ではアカモク、ワカメ、アオサなど、南西諸島ではモズクなどが利用できる。基本的に冬から春が旬となる。食用上の有用種では、浜に打ち上げられたものでも採集が許されない地域もあるので注意したい。

貝類

漁業上の有用種は採集が許されないが、岩に着くカサガイなどは多くの地域で採集が合法。金属のヘラなどで簡単に採集でき、味も良い。海岸沿いを歩く旅では、目についたものを集めるだけでおかずになる。

昆虫

毒のない昆虫はタンパク源として優秀だが量を集めるのは難しい。食味と採集の手間が見合うのは羽化のために出てきたセミの幼虫や河原に多いバッタ類。加熱すると、筋肉が甲殻類の味を薄めたような味と香りに。

渓流釣り

渓流遡行の楽しみ

食料の調達だけに重きをおけばエサ釣りが有利だが、釣趣(ちょうしゅ)では断然擬似餌が勝る。

なかでも日本の毛鉤釣りである〝テンカラ〟はゲーム性と効率のバランスが良い。そして何より、道具が軽量だ。竿と仕掛け一式を合わせても重さは100gほど。荷物が限られる旅にぴったりだ。

おこした焚き火で釣った渓流魚を焼くのは沢泊まりの醍醐味だが、入渓者が多い谷や資源が回復しにくい源流部(げんりゅうぶ)などでは、釣獲(ちょうかく)を最小限にとどめ、ときには自粛も必要だ。

エサ釣り

確実に食材を調達するならエサ釣りが効果的。鉤に付けた餌は外見、食感、味が本物のため魚を強烈に誘引し、くわえた後も鉤を離しにくい。漁獲重視なら5m前後の硬調か超硬調の渓流竿を。魚をかけた後取り込みやすい。

テンカラ

テンカラ竿の弾性でラインを飛ばし、ラインの先端につけた毛鉤を魚の潜むポイントに送り込む釣法。装備一式が軽量で、ポイントの見切りも早いので、沢登りと組み合わせやすい。川や魚との一体感を味わうなら最上の釣法だ。

上中下層を攻め分ける

流れが緩やかな場所は浮く毛鉤、荒い場所では沈む毛鉤で誘う。自分のイメージする釣りに合わせて毛鉤を自作するのもテンカラならでは。

難しい釣りほど面白い

釣りの妙は魚と人の呼吸を合わせることにある。難易度はエサ釣り、ルアー、テンカラの順で上がるが呼吸を合わせる快感はテンカラが至上。

静かに低い姿勢で攻める

渓流魚は川の上流を向いて定位し、上流側、左右、上方を見ている。できるだけ姿勢を低くして魚の死角となる下流側からアプローチする。

ルアーに飛び出た子イワナ。ルアーは大型だけでなく小型にも強烈にアピールする。

ルアー

枝が水面にかぶる場所ではルアーが有利。遠くから攻められ、テンカラと違って背面や頭上に障害物があってもキャストできる。パックロッドとベイトリールの組み合わせは荷物がコンパクトでキャストの精度も高い。大物にも対応する。

ケースは丈夫なものを

釣り竿は釣りの最中よりも移動中に折りやすい。渓流に持ち出す際は十分な剛性のあるケースに入れる。雨樋のパーツで自作しても楽しい。

偏光レンズで水中を見る

水面の乱反射をカットする偏光レンズは水中の魚を見やすくする。魚に鉤をかける「アワセ」を最上のタイミングで入れるには、必須の道具。

収納はピルケース

エサ釣りと比べ荷物の多いルアーでも、タックル一式は小さなピルケースに収まる。ルアーとテンカラの二刀流でも重量は全部で300gほど。

海の釣り

総合力に優れる釣り

道具の携帯性と重量、得られる漁獲、漁で削られる体力、漁の安全性……。諸条件を鑑みると、海辺の旅の漁法では釣りのバランスが良い。

最近は4～5個のパーツに分解できるパックロッドのラインナップも充実し、フィールドと釣魚に合ったモデルをチョイスしやすくなった。

パックロッドには振出式とジョイントで継ぐものがある。前者は携帯性に優れ、後者は組むのは面倒だが強度は高い。好みとフィールドで使い分ければよいだろう。

南西諸島はヒラアジが簡単に釣れる。刺身でも焼いても美味しい嬉しい魚だ。

大型魚用タックル

70～80cmの大型のヒラアジ類にも耐えられるセット。四国や九州の磯、南西諸島では歩いてアプローチできる場所で大魚が釣れる。こんな場所では魚にルアーを残さないように10kg程度の負荷に耐えられる竿を使っている。

小型・中型魚用タックル

本土の磯や離島の浅場でおかずを狙うなら、9フィート前後のシーバスロッドかエギングロッドが使いやすい。道糸は1.5号程度のPEライン。食材の調達の面では、このクラスの竿をメンバー全員が持っていると高効率だ。

勝手に釣れるぶっこみ仕掛け

中通しオモリ、5号程度の糸を結んだ鉤、鈴があればぶっこみ釣りができる。エサを付けて沈めておけば鈴がアタリを教えてくれる。

厳選するならシンキングペンシルを

9～11㎝のシンキングペンシルがルアー界のオールラウンダー。重いので飛距離が稼げて、水面直下から水底までを一つで探れる。

ハンドルをたたんで破損を防止

リールを運ぶ際はハンドルをたたみ、フットに接した状態でキープすると壊れにくい。用心するなら分解してクッカーなどに入れる。

フックのカエシはつぶしておく

初心者が注意したい事故が、フックを自分の体に刺すこと。不慣れなうちはフックのカエシをつぶしておき、すぐに抜けるようにする。

カニ釣り

海に流れ込む小渓流にはモクズガニ、汽水域にはガザミ類がいる。手づかみで獲れない距離にいる場合は、長い竿の先に極細のステンレス針金で作った輪を付け、この輪を腕にかけてから引き絞る。軽量な道具だが効果は絶大だ。

針金の先端に直径3㎜ほどの小さな輪をつくり、そこに残りの針金を通して輪をつくる。それを竿先にテープで固定。竿を引くと輪が締まる構造に。

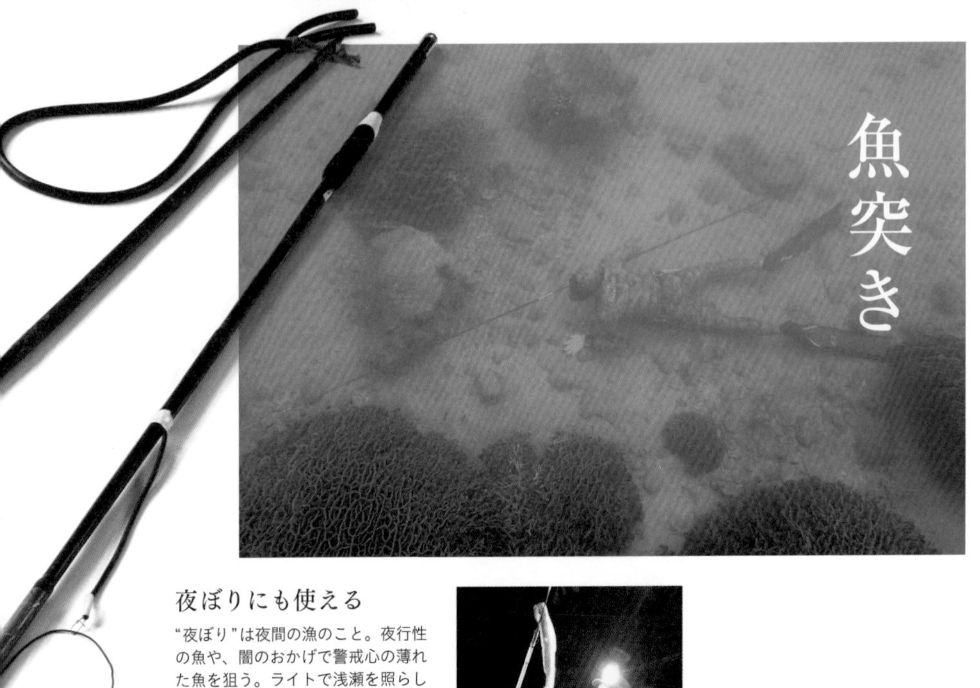

魚突き

夜ぼりにも使える

“夜ぼり”は夜間の漁のこと。夜行性の魚や、闇のおかげで警戒心の薄れた魚を狙う。ライトで浅瀬を照らして魚を探し、見つけたらひと突き。

ストック兼ポール兼銛！

藤原のストックは銛と兼用。行動中はストックとして使い、漁では左右を金具で繋いで銛にする。漁が終わったらタープの支柱として活躍。

姿を見せつつ射抜く

極力、人の存在に気づかれないように努める釣りに対し、魚突きでは全てを魚に見せながら接近する。道具も丸見えならこちらの姿も丸見えだ。

そのため魚突きには殺気は禁物だ。静かに間合いを詰め、射程に入った刹那、ゴムの力で魚を射抜く。

魚釣りは潮まわりや魚の食い気に漁獲が左右されるが、魚突きでは人間側の都合に魚に合わせてもらう。そのため、場合によっては釣りよりも漁獲があがるが、必要な道具が多いことがネックだ。人力移動旅に取り入れるなら、ストックを銛にしたり、携行するパーツを厳選するなどの工夫が必要になる。

マスク＆スノーケル

マスクは視界が広く、内容積が小さいモデルが良い。マスクのシリコン部が光を通さない色だとサイドから光が入らないので見やすくなる。スノーケルは筒の内部に水が残りにくいものが良いが、これは使ってみるまでわからない。

足ひれ

理想はロングフィン（右ページ上部の写真で使用）だが、持ち運びの負担が大きかった。運びやすさと最低限の機能を両立した結果、100円ショップのプラスチックのまな板とサンダルをヒモで固定する構造に行き着いた。

銛

全長3～5mの長さが必要。長いほうが警戒心の強い魚を獲りやすいが、携行に難がある。ゴルフクラブのカーボンシャフトを繋いで自作できる。作り方は"チョッキ銛""自作"などのキーワードで検索すれば情報が見つかる。

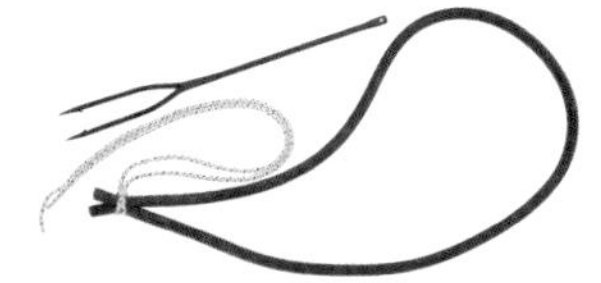

拾った竹で銛を作る

長い柄を持ち運びたくなければ、銛先と引きゴムだけを携行し、現地で拾った竹を柄にすることもできる。浅瀬や岩陰の魚を獲るなら十分な性能がある。

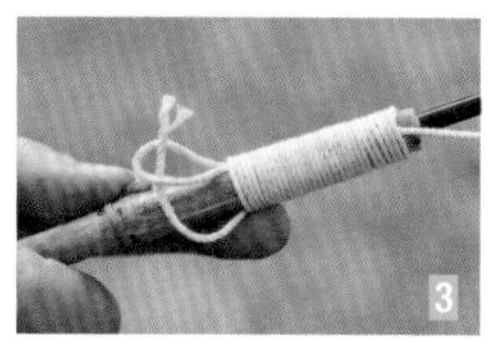

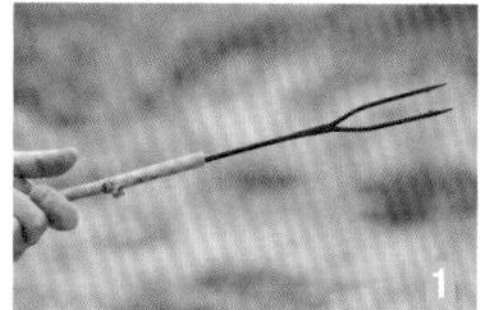

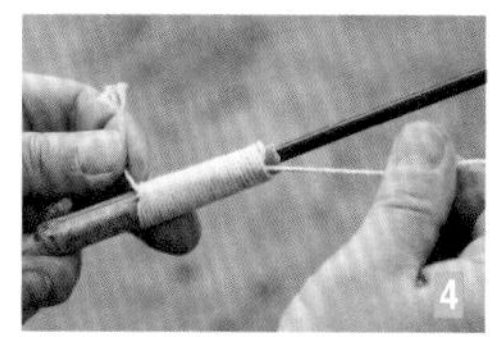

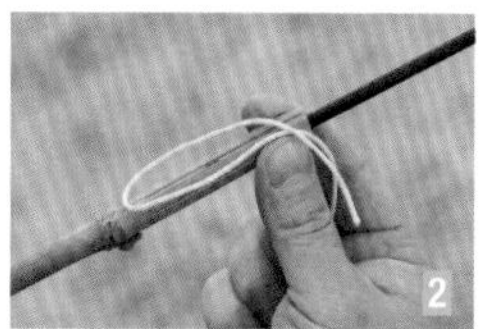

1. 3m程度の竹を探す。銛の金具の直径より内径が若干小さい場所で切断し先端を割る。銛を挿すと少し開く程度に。2. 写真のようにタコ糸を折り返す。3. 先端側から糸を巻き下げループに末端を通す。4. 残った糸を引きループを巻いた部分に引き込む。

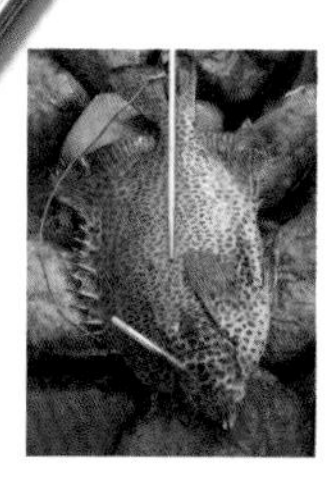

魚が逃げない離頭式

銛の先端に金属の棒を装着し、その先に強靭なラインで本体と繋がった銛先を被せる。魚を突くと銛先が外れて魚が確保される。

徒手採捕＋α

素手でできること

専門の道具は人間の持つ能力を大きく拡張してくれるが、空身の身体やシンプルな小道具でも、その気になればいろいろな獲物を獲れる。

見つかっても逃げない植物は素手やナイフで収穫でき、岩陰や砂に潜む貝は棒やヘラで採集できる。水の細い渓流なら、岩の下に魚を追い込んで手づかみもできる。

大型の魚などを狙うメンバーがいる場合、その他のメンバーは素手で獲れるものを意識すると、食卓に並ぶ食材が多彩になる。

果実を刈る

高い場所にある果実は、棒やストックで引き寄せる。引き寄せられない場合は、刃先を下に向けた状態のナイフを棒の先にビニールテープで固定する。ナイフを蔓にかけて棒を強く引けば、果実だけを刈り取れる。

野草を採る

人間の目は意識した獲物が風景から浮かびあがるようにできている。釣り竿を手に大物を追う人は、魚以外の獲物にが目に入らない。行動中に山菜や野草を採集する人を決めておけば、夕食までにはまとまった量が採集できる。

要チェック！
カエルも

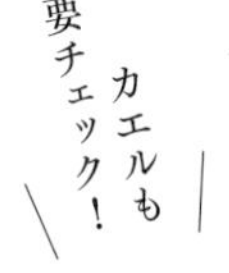

魚を手づかみする

ひとまたぎできる小さな沢にも渓流魚は棲んでいる。こんな場所では、川を歩いて魚を岩の奥へと追い込み、行き止まりに頭を突っ込んだところを手づかみにする。また、沢沿いにはヒキガエルも多い。忘れずに回収していく。

雑貝を起こす

漁業権の対象種でないカサガイなどは、簡単に獲れて美味しい食材だ。関東以西の岩の海岸にはたいていついているので、こんな場所を歩くときは貝むきやマイナスドライバーを用意しておき、広いエリアから少しずつ集めていく。

潮干狩り

干潮時の砂浜や干潟では二枚貝が掘れることも。地元の人が何かを掘った跡や、砂浜に残った貝殻は潮干狩りポイントの証。そんな場所で貝を見つけたら、砂の粒度や塩分濃度を覚えておく。行動中に似た環境があったら掘ってみる。

浅瀬で夜ぼり

夜は活発に活動していた魚が眠り、日中物陰に潜んでいた生き物が出歩く時間。浅瀬や川を見回れば、寝ている魚や出てきた甲殻類を簡単に採集できる。水辺で幕営するなら、タモやヤスと明るいヘッドランプを用意しておきたい。

エビタモですくう

エビタモは極細のナイロンで編まれた小さな網。水に浸けると透明になるので、エビや小魚に意識されない。気づかれないまま相手を網に収められる。直径10㎝前後で重さは数gだが、重量に対する効果ではそのほかの道具を凌ぐ。

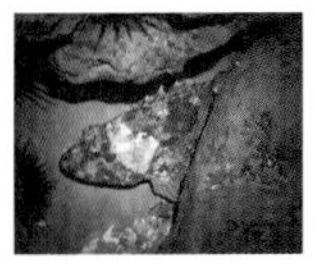

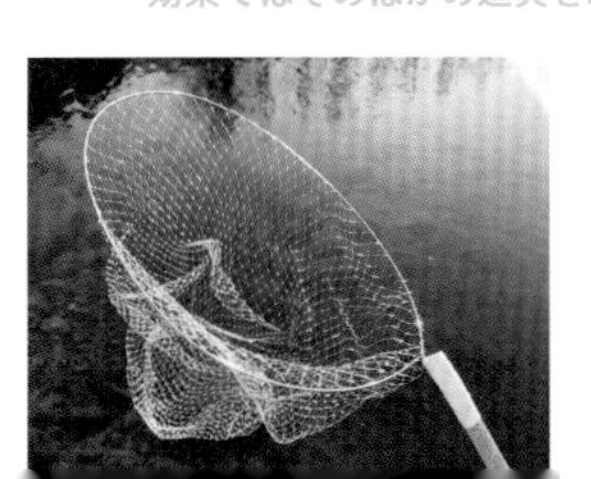

獲物の処理

獲物の鮮度を保つ

冷蔵設備のない野外では、採集した瞬間から獲物は急速に劣化していく。劣化するのが風味だけならまだ良いが、腐敗に転ぶと食中毒につながる。採集後はできるだけ傷まないように心がけたい。

第一のコツは生かしたまま運ぶこと。魚は水に浸けたまま曳航(えいこう)し、空気中でも呼吸できる生き物は、温度に注意しながら幕営地まで生かして運ぶ。第二のコツは腐りやすい部位を腐る前に捨ててしまうこと。魚などは塩漬けや醤油漬けにするのも効果的だ。

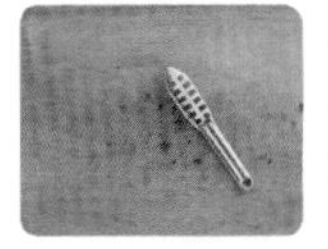

魚のウロコを包丁で落とすと刃先がすぐに鈍くなる。魚を頻繁にさばく旅では、ウロコ取りが必需品。

野草は真水で濡らす

収穫した野草は摘んだそばから萎びていく。幕営地まで時間がかかる場合は、真水で濡らしてコマセ網に入れ、衝撃を加えないようにして運ぶ(揉まれると傷みが早い)。真水に出会う度に濡らして歩くと、ある程度鮮度を保てる。

獲物はコマセ網に入れる

獲物は釣り具店で買える「コマセ網」で運ぶ。コマセ網は軽量・コンパクトで、釣った魚ごと水に浸けておけば魚も呼吸できる。価格は100円と安価だ。もっと強度が必要な場合は500円程度で買える貝袋がおすすめ。

獲物の鮮度保持

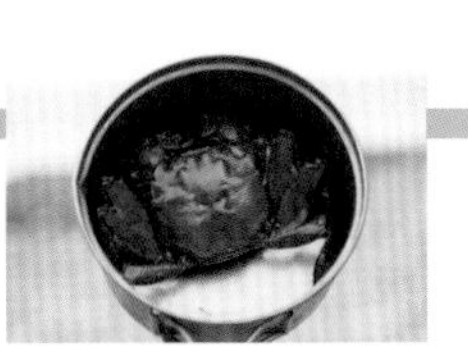

❶ 生かして運ぶ

甲殻類は死ぬと急速に腐るがエラに水があれば数時間は生きている。軽く濡らしてできるだけ低温に保ち、たまにエラに水をかけながら運ぶ。

❷ ワタとエラを抜く

魚は消化液を溜めた内臓と血から腐る。すぐに食べない場合はハラワタを抜き、エラを取り、背骨に沿った血合いをきれいに洗っておく。

❸ 醤油に漬ける

②よりも移動に時間がかかる場合は3枚におろして切り身をファスナー付きの袋に入れ、醤油で漬けにしてしまう。濃い塩分が雑菌の繁殖を抑える。

不便な場所での魚の解体

行動中に魚が釣れたり、キャンプ地が水場から遠い場合は、解体を丁寧にできないことがある。こんなときは腹を開けずにウロコごと左右の半身を切り取る。それから皮を引けば、身を汚さずに切り身が作れる。また、骨を断たないためナイフの刃先も鈍りにくい。

ウロコ取りやナイフの先端を使って、ヒレの周囲とエラ蓋の周囲だけウロコをかき落とす。ウロコを取る幅は1cm程度でよい

荷物を厳選する旅に持ち込むナイフは、嶺の一部をヤスリで斜めに落としておくと、嶺側が簡易なウロコ取りとして機能する。

魚の頭部後端を触って、頭骨とエラの周囲の骨の位置を確認する。後頭部にナイフを入れ、エラの後端に沿って刃先を進めていく。

続けて、先ほどウロコを落としたヒレの周囲に刃先を入れる。後頭部から尾ビレの付け根まで切れ目を入れたら、中骨に沿って開く。

刃先が背骨に到達したら、今度は身を持ち上げながら腹骨に沿って半身を切り取っていく。刃で撫で付けるように切り、腹骨を残す。

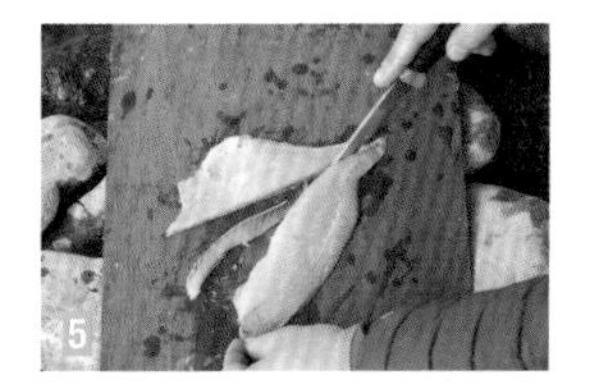

半身を切り出したら、血合い骨の位置を触って確かめ、血合い骨の両側に刃を入れて背節と腹節に分ける。皮まで両断する。

皮の端をつまんで、身と皮の間に刃先を入れる。刃をまな板の上に固定し、皮を前後にゆすりながら引いて皮と身を分ける。

半身の解体が終了。ウロコの大部分を引かず、ハラワタも抜かず、骨も断たないので刃先を傷めずに短時間で切り身を作れる。

カエルの解体

アゴの下から後頭部に向かって斜めに切る。背骨は断つが背中側の皮は残しておく。ヒキガエルの場合、側頭部の毒腺は頭側に残す。

片手で頭、残る手で上半身の筋肉をつかみ、タイツを脱がせるように皮を引き剥がす。極力体表の粘液を身につけないように注意する。

内臓を取り、手を洗ってから流水で丁寧に洗う。ヒキガエルの場合、体表の粘液が身に付くと苦くなる（身自体が苦い個体もいる）。

矛盾なき採集

藤原祥弘

野外活動にレジャー以上の価値があるなら、それは今よりも自由な自分を目指す訓練であることだろう。

無人地帯の「入域したら補給ができず、自力で運んだ物か現地にあるものしか使えない」という条件は、道具も技術も精神もふるいにかける。最初のうちはたくさんの道具を野に持ち込むが、回数を重ねるほどに装備は厳選され、装備は技術に代わっていく。減った装備の重さだけ、自由になれる。

そして、真剣に野生食材の採集と利用に取り組んできた者にとっては、持ち込んでいた食料を現地調達に置き換える技術の意味を問い直す機会になるだろう。

都市生活を送る現代人が〝矛盾のない狩猟採集〟を実践することは難しい。獲物がいる地は遠く、それを狩るには化石燃料を使って移動しなくてはならない。獲物を確保した後もエネルギーが必要だ。保冷に使う氷は、電気の塊である。

都市生活者の採集には時間とお金がかかる。その費用対効果を考えると、ついついクーラーボックスは大きくなっていく。そして、その箱には一度には食べきれない獲物が収められる。

私の場合、生き物の命と引き換えに採集技術を深めるうちに、いつしか追いついた思想に苛(さいな)まれるようになった。「循環をモデルとする自然を楽しみながら、収奪一方の採集をするのは間違っている」と。

都市生活を送りながら採集を続けることを負担に感じ始めたころ、仲間と始めた無人地帯の

海を歩く旅が、ヒントをくれた。
　冷蔵する手段のない旅では、その日食べきれる量しか採集しない。採集して糧にし、また移動するので地域への負担も小さい。食べたものは翌朝幕営地の土に還り、また循環の輪に戻っていく。無人地帯なら現代でも矛盾のない採集に取り組めることに驚き、喜んだ。これこそが正しい採集だと思った。
　ところが、ある渓流への旅で気がついた。縦横に広大な水域が広がる海に対し、渓流の水域は細い管状だ。当然、そこにストックされる魚も少ない。たとえ「その日必要な分」であっても、渓流から魚を抜く行為自体がすでに過剰かもしれない。
　まして自分の肉体は、都市の巨大な肥育システムに養われたものである。完成された生態系に飛び込んで採集を楽しむのは許されることだろうか。食料を外部から持ち込む方が、より無理がないのではないか……。
　思索と反省を重ね、今では自然の生産力から現地調達の量を決めるようになった。季節が一巡すれば、また元通りになる範囲内で採集を楽しむ。自分以外の入域者が多い場所では採集量を抑える。手応えのある旅がしたい時は、より人の入らない場所を目指す。
　無人地帯の豊かさは、ただただ人の少なさによって支えられている。その豊かさの大元を損なわずにいかに楽しむか。より多く利用するために身につけた技術を、奪わないための技術へといかに変換するか。野に入りながら、考え続けている。

Chapter

06

小雀陣二

調理術

The Cooking

キャンプ地での調理について

訪れる場所、季節や気候などを考慮して食材をパッキングする。

材料や調味料のバランス 何を充実させるか

日々の暮らしよりも、旅先の食事は重要度が高まると考えよう。

人力移動の旅では、衣食住の荷物すべてを持ち歩く必要がある。持ち歩ける食材の重さや量には限界がある。日数が延びるほど日持ちも考慮せねばならず、制限はさらに多くなってしまう。

途中で食材を買い足すこと

手間と調理時間に合わせた3例

食材の軽さと調理の手軽さ重視

食材が軽量で、調理時間が短くて済む、調理の負担が少ないメニュー構成例。昼食は行動食で済ませる。ドライフードやインスタント食材などをメインに据えつつ、乾燥野菜を上手に組み合わせて食べ応えや満足感を補いたい。

朝食例：
パン、オニギリ、行動食
昼食例：
行動食
夕食：
ドライフードやインスタント食品

一汁一菜の夕食だが、内容充実

レトルト食材や缶詰で全体のボリューム感を増やし、インゲンやオクラなど日持ちする生食材を添えて彩りも加える。これだけの手間でも幸せな気分になれる。手間と食材の重量は増えてしまうが、それをどうとらえるか。

朝食例：
パンとスープ
昼食例：
ラーメン、うどんなどの麺類
夕食：
缶詰やレトルトのおかず、汁物、ご飯

夕食は一汁三菜でみんな満足

食事の理想型は、この「一汁三菜」。魚や野草などが採取できれば、食事の内容がより豪華になる。これだけあれば誰もが喜ぶし、自然と笑顔も増える。作る負担や時間は増えるが、いかに段取りよく作れるかどうかも含めて楽しもう。

朝食例：
一汁一菜と副菜
昼食例：
麺類と副菜
夕食：
ご飯、味噌汁におかずを3種類

はできない。そう考えると、軽く、日持ちが良くて腹にもたまるものが食材選びの中心となり、どうしても旅の食事は簡素で味気ないものになってしまいがちだ。

そのような状況においても、食を充実させることは大切だ。食事が美味しければ、楽しみが増え、気持ちや身体が充実する。仲間との旅ではもちろん、一人旅だったとしても食事の時間は大切にしたい。

食事の時間は、腰を落ち着けて翌日の打合せをする重要な時間になるし、お酒を嗜めばさらに深い時間が過ごせる。

この時間を充実させるために、メニュー構成、食材、調味料を充実度で分けて、3つの例をあげて紹介していく。参考にして欲しい。

我々の“無人地帯”メシ

採って楽しく、
食べておいしいテナガエビ。

カスミアジの刺身と
極上のチラシ寿司。

魚の捕獲とさばき方は
もはやプロ並みの腕前。

初心者でも釣れる
ヒラアジ類は刺身がうまい。

まな板は流木。皿は木の葉。
そこにあるものを利用する。

行動中に釣れた魚は
漬けにして鮮度保持する。

自分たちで食材を集めると
より自然に近付ける。

オオタニワタリや
キクラゲは採集植物の基本

ツナマヨネーズで和えた
ハマダイコンの葉っぱ。

トロトロ粘りのある
ヒカゲヘゴを茹でて。

野生化したハンダマのサラダと
オオタニワタリ＆ヘゴの炒め物。

乾麺のうどんやそばは
重宝する食材の一つ。

パスタを茹でる時は、
海水で塩分を調整するとうまい。

日本そばのお供は
ハマダイコンのキンピラ。

テナガエビとハンダマは
パスタとも相性がいい。

シンプルなキクラゲと
ハマダイコンのパスタ。

具沢山の汁と生のネギで
うどんがガゼンうまくなる。

乾燥野菜とネギを加え、
沖縄ソバを炒めるとバツグン！

不漁時は乾燥具材だけの
カレーで我慢する。

地味な炊きこみご飯も
海苔を加えるだけで豪華に。

焚き火で炊いたメシは
どうしてあんなにうまいのか！

焼いた魚を蒸し
炊いたご飯を風味付け。

乾燥させて持参するエノキタケ。
簡単に作れて、味は濃厚！

魚のアラは最高の旨味
余すことなく食い尽くす。

オオウナギの蒲焼き。
とても硬くて脂が濃い。

カサガイはさっと煮るだけ。
酒の肴に最高だ！

ハラワタを出しながら
ヤマメのイクラを味見。

活きのいいエビが獲れると
テンションが上がる。

モクズガニが採れたら
半割りにしてダシをとる。

魚の塩焼きは、裏切らない。
間違いなく美味なのだ。

魚のフライも鉄板の味。
食用油は重いが食生活を豊かに。

焚き火で焼いたトーストは
香ばしさが段違い。

行動中に潰れたメロンパンは
パンケーキに再利用。

ヒキガエルの唐揚げ。
味は魚と鶏肉の中間だ。

ときにはおやつにポップコーン。
遊びが余裕を作り出す。

味わいを豊かにする生の野菜。
特にネギとショウガは必携だ。

困ったら味噌で煮込む。
すると、何でも美味くなる。

乾燥野菜を使うと、
スープに濃厚なダシが出る。

果汁の濃縮液があれば
ジュースにも酒を割るのにも便利。

荷を軽くしたいのに
酒好きは重い酒を運ぶ。

体が甘いものを欲する荒野。
“糖”こそが正義なのだ。

メニューと食材選びの考え方

一汁一菜を食事の基本とする

食事を作り慣れている人でも、旅の食事をどうするかは悩むもの。基本は〝一汁一菜〟と決めておくと、メニューを構成しやすい。

まず食べたいもの、栄養価のバランスが良いもの、買いやすいものを基本として食材を選ぶ。目的地や計画にもよるが、状況次第では調理無しで食べられるもの、手軽に調理できるもの、暖かい食事など、臨機応変に対応できるような食材とメニューを選べると理想的。また、行動中から夕食時の段取りを考えたり、夕飯を作りながら朝食を考えるなど、常に次の食事を想像して動くと楽になる。

現地で食材が採れなくても この形が作れるように組み立てる

“スープとパン”や“味噌汁とご飯”など、まずは2品を献立の基本と考えると、旅の食事構成の柱ができる。そこに食材を付け足していくイメージを持つと、必要な食材のリスト出しがスムーズだ。スープや味噌汁は具を乾物にすれば、湯を沸かすだけで具だくさんスープが作れる。

粗食で良いと割り切り ストイックに寄せるのもいい

栄養補給ができれば、粗食でも良いと決めるのもあり。割り切ってしまえば、献立を考えるストレスや調理の負担が無くなる。準備はシンプルになり、背負う荷物が減り、身軽に行動できるメリットもある。このミニマムなスタイルをベースに、食材を足して献立を組むのも手だ。

何かが採取できたら一品増えて 汁物やおかずが豪華になる

魚が釣れたり、野草が採取できると“一汁一菜”が一汁三菜にもなる。または汁物の具材が充実したり、白米が具入りの炊き込みご飯になったりと、食材が増えると食事はどんどん豪華になっていく。「あの時は刺身が美味しかったな」など、食事の記憶は思い出にも残りやすい。

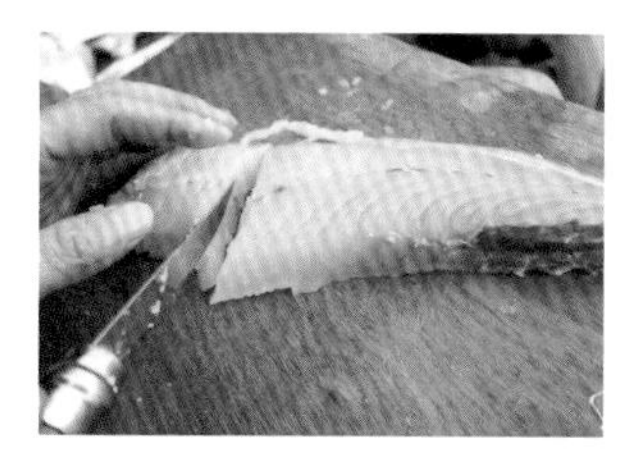

海辺の旅なら魚が釣れることを想定して調味料を準備すると選択肢が広がる。

日数に合わせたメニュー計画

ある年の遠征での買い出し。どれだけ買ったんだ！というツッコミが入るくらいのネギの束。和洋中と活躍してくれる便利な食材。

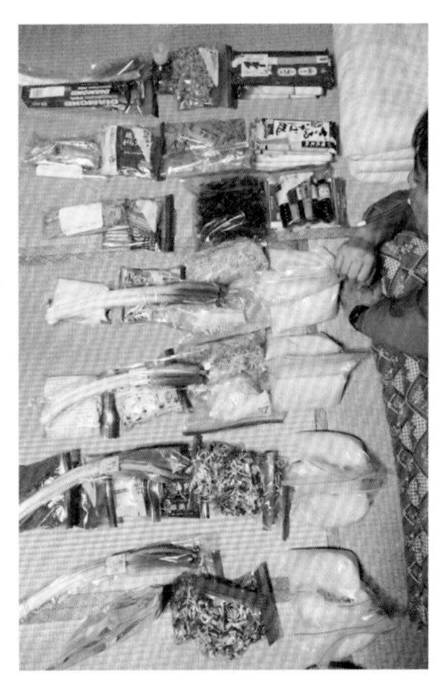

出発前の宿で食材の仕分け。食材を種類別などでそれぞれ、分け、ファスナー付きの袋などで人数分に分ける。

旅の食事のスケジュール 食べたいものを選びたい

カヤックや自転車の旅ならば荷物を担ぐ必要はなく、負担は少ない。しかし全ての荷物を担いで歩く旅では、献立とスケジュールを考え、人力で運べる重量に収めつつ、買い出しを工夫する必要がある。

途中で採集できた食材をメニューに組み込めるよう、ある程度の調味料も準備したい。刺身にすると美味しい魚が釣れたのに、醤油が無いなんて事態は想像したくない。味噌汁も乾燥具材だけよりも、魚介類や野草が入ればうまい。基本のメニュー以外にも対応できる準備をしておきたい。

左上は7日間の旅を想定したメニュー例。初日の朝と昼

1週間の旅の献立例

	朝食	昼食	夕食
1日目	移動中のコンビニ軽食 サンドイッチなどのパン類 おにぎりやお弁当	移動中に外食 それぞれ好きなものを食べる そばやうどん、定食や洋食	炊きたてご飯 生野菜を入れた味噌汁 牛ステーキ、ジャガイモなどの副菜 お酒やコーヒー
2日目	前日のご飯の残りを使い スープの素や乾燥野菜で雑炊 コーヒー、紅茶、日本茶	大きなソーセージのホットドック インスタントスープ コーヒー、紅茶、日本茶	トマトソースのパスタ (ツナのレトルト入り) お酒やコーヒー
3日目	卵サンドイッチ 乾燥野菜を使ったスープ コーヒー、紅茶、日本茶	インスタントラーメン (乾燥野菜、卵入り) コーヒー、紅茶、日本茶	炊きたてご飯、タマネギ味噌汁 スパムステーキ、ジャガイモ お酒やコーヒー
4日目	雑炊(残りご飯とスープの素) コーヒー、紅茶、日本茶	サンドイッチ (ツナ、タマネギ) スープ、コーヒー、紅茶、日本茶	カタ焼きそば (乾燥野菜、レトルト肉) インスタントスープ
5日目	うどん(乾燥具材入り汁) コーヒー、紅茶、日本茶	パスタ (スモークサーモン&タマネギソース) コーヒー、紅茶、日本茶	炊きたてご飯、味噌汁 オイルサーディン&タマネギ お酒やコーヒー
6日目	雑炊(残りごはんとスープの素) コーヒー、紅茶、日本茶	インスタントラーメン (乾燥野菜&卵) コーヒー、紅茶、日本茶	パスタ (トマト&レトルトチキンソース) お酒やコーヒー
7日目	ビスケット インスタントスープ コーヒー、紅茶、日本茶	うどん(ごまだれつけ汁) コーヒー、紅茶、日本茶	帰路で外食 焼肉やお寿司! 好きなものを好きなだけ

は出発前、7日目の夕食は、終了後だ。また、これは「理想」の例で、実際の昼食は行動食のみの場合が多い。

夕飯はご飯と味噌汁の一汁一菜を基本として、メインのおかず、副菜を加えている。飽きがこないよう、パスタやうどんなどの麺類、パン食をバランス良く組み合わせることも意識している。コーヒーやお茶などはインスタント中心だが、たまの贅沢に豆のコーヒーを淹れることもある。

荷物の量や手間を省くと、食の充実度は低下するので、そのバランスを上手にコントロールしたい。長い旅になると日々の感動が薄れてくることもあるが、食事に変化を付けることで新しい刺激を感じることができる。

代表的な食材

米・麺

炭水化物はエネルギー源！

まずは米を中心とした炭水化物の主食を食材の中心に据える。炭水化物は身体を動かしてくれるエネルギーの元となる。米、アルファ米、うどん、そうめん、そば、インスタントラーメン、常温保存生麺、ビーフンなど、豊富な種類を飽きないように組み合わせる。

米はファスナー付き袋に小分けし、さらに別の袋に入れて完全防水。1袋の量を決めておけば、使用時の量や残りが把握しやすい。

様々な食材を屈指して旅の食を楽しむ

日常生活では冷蔵庫で食材を保管できるし、設備の整ったキッチンも使える。しかし、アウトドアでは食材が傷まないようにパッキングして持ち運び、焚き火を起こして調理をする必要がある。

この環境の違いの中でいかに美味しく、楽しく食事をす

乾燥食材

軽くてコンパクトな旅の強い味方

野菜や魚介類を乾燥させた食材。水分がない分、軽くてコンパクト。日持ちすることも利点だ。スーパーやネットをよく探せば、さまざまな種類が見つかる。常温保存可能なお揚げや大豆ミートなどは高タンパクでとても便利だ。出発前に天日干しして自作するのもあり。

るか。小さい頃から食べるのが好きだった私は、今も、食の楽しさについてずっと考えている。とくに食欲が旺盛な仲間と歩く時は、満足度の高いメニュー構成にしたいと頭を悩ませる。

ここで紹介した食材は、常温で保存でき、軽く、栄養素や食感がバラエティに富む一例だが、こんな食材を賢く組み合わせ、できるだけ食事のバリエーションが楽しめるようにすれば、旅はより有意義なものになるはずだ。

近年はテクノロジーの進化もあり、日持ちする食材、缶詰、レトルト、インスタントラーメン、常温保存食材などの種類が圧倒的に豊富になっている。中でも、お湯を注ぐだけででき上がるドライフー

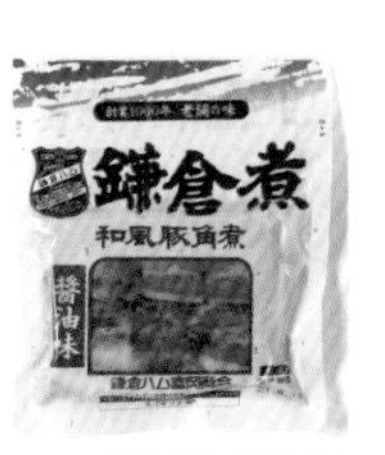

パウチ食材

保存が効いて贅沢感が増やす

作りたいメニューを考えたら、使えそうなパウチ食材があるかを調べてみるといい。カレーフレークやマッシュルーム、ツナ、チキン香味野菜、麻婆豆腐の素など、味をつける手間がないこともメリット。それなりに重量があることは気になるが、乾燥食材とバランスよく組み合わせ、上手に取り入れたい。

調味料とスパイス＆ハーブ

作れる料理の選択肢を広げ気持ちと体力を上げる

食材は調味料の力を借りて、いくつもの美味しい料理へと化けていく。探してみると小分けの調味料はいろいろと見つかる。スパイスは少量でも味に深みと変化を与えてくれる。胃腸の働きを活発にしてくれる効果もあるので、ある程度の種類を持ち歩くように心掛けている。

ズの進化はめざましいものがある。

　食材探しには、スーパーだけでなく、コンビニも活用してみよう。各コンビニが開発しているプライベートブランドのオリジナル食品は、野外に持ち運びしやすい仕様とちょうど良い量の商品が多い。コンビニが日本中に広がったことで、最も恩恵を受けているのはアウトドア好きかもしれない。

缶詰は重いけれど

昔の缶詰は限られた食材と味付けだけだったが、ニーズの変化と共にバリエーションが増加。たとえ重たくても、缶ゴミが出ようとも、それでも持ちたい魅力が缶詰にはある。

野菜類

重くて嵩張るが なくてはならぬ名脇役

ビタミン、ミネラルはできれば生野菜から補いたい。長ネギを筆頭に（このチームは長ネギが好き！）、根菜やピーマンなどは、食事に彩を加え、満足感を高めてくれる。もちろん栄養も補給できる。クーラーボックスは持ち歩けないので、日持ちしやすいものを選んだ上で、パッキングの仕方にはコツが必要。

しっかり乾燥したら、ファスナー付きプラスティック袋に小分けにしておくと、使う時に便利だ。野菜、キノコ類の乾物は比較的容易に作ることができる。食べるだけでなく、干す作業も楽しみたい。

切り分けた野菜を干物用の網で干す。大型の網を使えば一度に大量に作ることができる。

乾燥野菜と干し肉を作ろう

乾物はスーパーや百貨店で簡単に購入できる。しかし我々の旅は日数が長く、量もそれなりに必要なので、野菜も肉もできるだけ手作りの乾物を持参している。野菜は薄く細く切れば、乾燥しやすくなり、2日も干せば完成する。肉も同様だが、塩をしっかり打ち、保存性を高める必要がある。小雀流の作り方は、スライスした脂身のない肉に塩をふり、吸水シートで挟み、1日脱水してから天日で干すというもの。虫を気にせず干せる干物用の網を使うのがベスト。燻煙を10分かけるとさらに腐らなくなるが、料理によっては使いづらくなる。

水分がなくなると、身はかなり小さく軽くなり、持ち運びやすい。生のような食感や出汁はないが、タンパク質はこれでも補給できる。

ニンニクと生姜、醤油など、塩気と香りを加えるのも一手。スパイスやハーブを加えると味わいが変わる。干す時には猫やカラスに注意。

おいしく、安全に食べるためのアイデア

持ち運びの工夫と方法

ファスナー付き袋に入れて種類ごとに分類する

中身が見えるファスナー付きプラスティック袋に食材を入れておくと管理しやすい。それらを種類ごとに分類し、防水バッグやナイロン素材のバッグに収納して持ち歩く。米などの主食は青、おかず系は赤、調味料は黄など、収納袋の色を中身で分けておけば、必要な食材が一目で見つけ出せる。

保冷の工夫と方法

食材を冷やしたい時は水に浸けておくのも手

カヤックを使う旅など、荷物と計画に余裕がある旅は別だが、基本的に歩き旅では重いクーラーバックは削らなければならない。しかし、初日の晩にちょっと豪勢に楽しむ場合は、凍らせた食材を薄手の保冷バッグに入れて持ち歩くこともある。海や川、湖がある場所に野営するならば、ビールなどは水に浸けて冷やしておくといい。石を上に置くなど、流されないための工夫を忘れないこと。夜間は野生動物にも注意！

持ち運ぶ負担と対峙し楽しむ

高カロリーな行動食を軸に、乾物やパウチ、ドライフーズで食事を済ませてしまえば、それなりに美味しいし、荷物も軽くなる。では、なぜあえて苦労しながら、いろいろな食材を持ち運ぶのか？

それは、食事が旅の楽しみであるからに他ならない。日持ちや持ち運びを考慮して選んだ食材を、いかに組み合わせ、美味しい料理を作り、最終日までにうまく使い切るか。予定通り食材が使えることもあるし、想定外の事態に献立を整え直すこともある。そんな変化に対応しながら、徐々に荷物が減っていくことが小さな喜びだったりする。

保管時の工夫と方法

雨や動物などを避けるため就寝時は吊るして保管する

大事な食材の管理を怠ってはいけない。面倒でも食後は毎回テントの中に運び、外に置いておく場合は高い位置の木の枝にぶら下げておく。寝ている間に、野生動物やカラスに持っていかれないように注意しよう。油断すると必ずやられる。後から後悔しても遅い。

調理の工夫と方法

焚き火の調理は気分が昂（たか）ぶる 基本は熾火（おきび）。火を操り調理する

バーナーがあれば調理しやすいが、燃料には限りがある。長期旅で頼りなるのは、焚き火での調理。上手に炎を操り、火加減を調整しながら調理するには慣れが必要だが、お湯を沸かすくらいなら誰でもできる。火加減は中火の熾火が使いやすい。写真は米を炊き始める時の強火の状態。

旅を充実させてくれる バックアップと嗜好品

基本的な食材と調味料以外にも、用意したいものはいくつかある。まずは絶対に必要なバックアップ用の食料と水。そして、なくてもいいがあった方がなにかと嬉しいのが嗜好品だ。これ大事。

食後の時間を楽しむコーヒーや甘い飲み物は個人ではなく、共同装備として持つほうがいい。お酒は各自が飲みたいものを背負える分だけ持つ。それに合うつまみや甘いものも、行動食を兼ねたものをそれぞれが準備する。

旅に大事なのは備えること。〝備え有れば憂い無し〟。特に無人地帯では、この言葉が身にしみる。

バックアップの食料

日数＋１、２日分は予備食を考えておく

長期にわたる旅の間には、悪天候で停滞することもあり得る。食料計画は予定通りにいかないことを常に想定し、必ず余分に食材を準備することを心得たい。バックアップ用として持つなら、そのままでも食べられるインスタント麺や水やお湯で戻せるアルファ米がおすすめ。

水

何よりも大事な水の確保

水がなければ食事は始まらない。いつでもどこでも、水をどう運ぶか、どこで補給するかを意識し続けることが大切だ。無人地帯では浄水器が必須。ウォーターキャリーは落としても簡単に破裂しない、丈夫な折りたたみ式があると便利だ。

酒

“百薬の長”と言われる
欠かせない飲み物

飲み過ぎなければ、焚き火を囲む時間にアルコールもあるといい。最近は、野外でも携行しやすい軽くて割れない容器に入っているお酒やワインもある。瓶のものは詰め替えて軽い容器で持ち歩く。酒好きのメンバーは重量対効果を考えて、アルコール度数が高いものを選んでいる。

コーヒーとお茶

ソロでもグループでも
これだけは欠かさず準備

メンバーはコーヒー好きが多い。お湯さえあればすぐ飲めるインスタントと時間がある時用の粉を両方持つ。日本茶や紅茶は、ティーバッグで数種類ずつ。たまに甘い物を飲みたくなるため、調理用の砂糖を多めに用意する。スキムミルクや小分けのクリーミングパウダーもあると重宝する。

食料の保存

旅の間にも、体はどうしても生野菜を欲しがる。持ち運びやすさと日持ちは野菜ごとに異なるが、どの野菜も生きているため気温の変化で汗をかく。野菜自身の水分が傷む原因となるので、できるだけその水分を取り去ってやることが野菜を長持ちさせるためのポイントだ。私は個別にキッチンペーパーで包み、ファスナー式の袋に入れて持ち運んでいる。

使いやすい調理道具

バランスを考慮した道具達

いつでもどこでも使いやすい

一例として、私自身がフィールドで千食を超える食事を作ってきた経験をもとに選び抜いた道具を紹介してみよう。調理、提供、片付けがしやすいことを前提にキッチン器具メーカー、アウトドアメーカーなどからセレクト。遊びではあるが、遊び気分では選んでいない。

1 包丁・ナイフ

専門メーカーのペティナイフとアウトドアメーカーの波刃ナイフ、小さいナイフの3本装備。

2 トング・菜箸

キッチンとアウトドアメーカーのトングを大小それぞれ一本ずつ。菜箸もあると便利。

3 おたま・フライ返し

柄が折りたためるタイプが収納しやすい。使っている途中で折り曲がらないものを選びたい。

4 竹ベラ・竹のロングスプーン

竹ベラは鍋が傷付かず、ご飯を盛る時や炒め物で活躍。他に竹のロングスプーンでも調理する。

5 スプーン・フォーク

スプーンとフォーク、スポークを予備で持つ。他に竹のショートスプーンも。

6 ライター・イグナイター

ライター、火花だけが飛ぶイグナイターを一個ずつ入れ、別に一つライターを身につける。

7 缶切り

小さい缶切りも必ず携行する。前述した小さいナイフは缶切りとしても活躍する。

8 タワシ・スクレーパー

食事後に使う万能なタワシ、シリコンと樹脂製のスクレーパーが2種。必須な道具だ。

本気で選ぶ道具や鍋

プロの料理人が選ぶ鍋やフライパンを参考にすれば、自ずとどういった素材、厚み、形状の調理道具が使いやすいのかがよくわかる。そこに「持ち運ぶ」という概念を付け加えると、素材＝アルミ（軽さ、高い熱伝導）、厚み＝最低1㎜（高い蓄熱性）、形状＝丸型（調理、洗浄のしやすさ）、ノンスティック加工（焦げ付き防止、洗浄のしやすさ）という答えが見えてくる。これをクッカーの基本としたい。

旅での食事はできるだけ早く料理を作り、片付けたい。アウトドア用の鍋や調理器具の多くは、使い勝手よりも軽さやデザインが優先されているので、十分吟味して選びたい。

クッカーの個数と種類

調理、提供、片付けの3つを考慮する

調理から片付けまでを効率よく行えるかがクッカー選びの大前提。訪れる場所、季節、人数や献立を想定し、鍋の大きさや数を選ぶ。荷物が増えて重くなるが、3人以上なら湯沸かし用のケトルもあると、コーヒーを淹れる時にも役立つ。

あるものを最大限活用する

ゴミだと思えばただのゴミだが、椅子やテーブルに使えるものだと思えば、ゴミすらもキャンプ地での滞在時を快適にしてくれる家具や食器になる。悲しいけれど、特に海岸には活用できるゴミが大量に落ちている。利用できるものは積極的に利用しよう。

木の板は多種多様な大きさのものが拾える。まな板サイズは皿代わりにもなるし、調理もしやすい。大きな板はテーブル代わりに。

大きな葉は、料理を飾る食器としても大活躍する。緑の葉の上に並べた刺身は、見栄えがよく、食欲をそそる。大きな貝も食器としておすすめ。

火起こしの基本
薪選びと並べ方

調理と暖をとるために必須な知識と技術

野にある薪は樹種も太さも含水率も多様だ。天候や気温でも燃やし方は変わる。ここで紹介する基本方法から状況に応じてアレンジしてほしい。

火を据えるのは大潮や増水時に水をかぶる海や川、沢沿いの砂地が理想的だ。生物や木の根が少なく、腐葉土が燃えることもない。反対に草木が多い山中の地面の上は、土壌に大きなダメージを与える。

火床は石を使わずに薪だけで組む。石が吸熱しない分だけ短時間で火力が上がり、石が煤けず、焼け跡も小さい。

火の大きさは常に最小限を心がける。撤収までに残った炭も燃やしきりたい。

1

太さの違う薪を揃える

薪を太さ別に数種類に分ける。特に多めに集めたいのが太さ3㎝くらいの薪。ほどよく燃え続けてくれるので、火力調整がしやすい。5㎝くらいの薪は、焚き火の炎を大きくして暖をとる時に使う。

2

焚き火のベースは2本の太い薪

まず2本の太い薪を置く。間隔は鍋を載せる五徳を橋渡しできる幅を基準に決める。間に太さ3㎝ほどの薪を並べて火床を作る。火床はいずれ燃え尽きるが、火のつき始めに地面の濡れや冷えから種火を守ってくれる役割を果たすので重要。

3

着火剤と枕木をセット

苦労せずに薪に火をつけるため、少量でいいので着火剤を活用したほうがいい。着火剤は火床の中心に置き、その脇に枕木となるものを置く。この枕木は着火しやすい1㎝ほどの細い薪を立てかける時に、空気が通る空間を確保するためのもの。

4

焚きつけは細く乾いた枝を選ぶ

枕木に小枝や細い薪を並べる。着火剤の火が燃え移る位置をイメージしながら置いていく。燃え始めを待つ間に調理の準備を進めたいので、放っておいても消えない量を束ねて並べるといい。

5

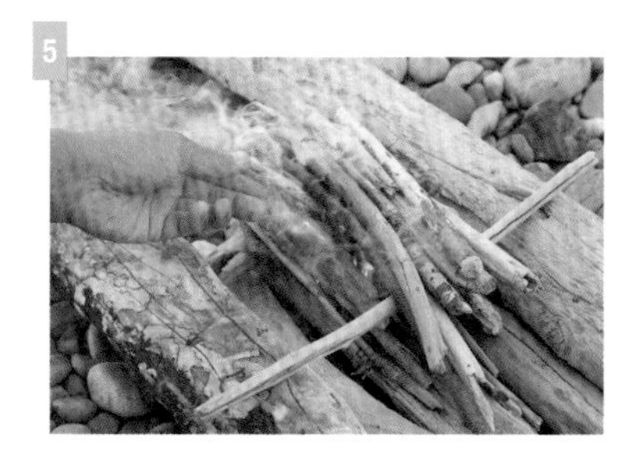

2段階目の焚き付けと枕木の役割

一つ目とは反対側にも枕木を置き、より太い薪を数本並べる。着火剤に点火して下の薪が燃え始めた炎が、この薪へと燃え移る仕組みを作る。乾いた薪がベストだが、湿っているときは下の焚き付けの熱で乾かしながら燃やせるよう意識して組む。

6

燃え始めたら、さらに太い薪を焼べる

燃え上がったら、空間を潰して炎が消えないように気をつけつつ、さらに太い薪をくべる。この太い薪が熾火（おきび）になれば安定した焚き火が完成する。熾火になり次第すぐに調理が始められるよう、食事の支度を進めながら炎の面倒をみる。

焚き火で
ご飯を美味しく炊く

炊き始めは炎を上げて強火で

太い薪が熾火になって安定した状態が調理しやすい。しかし、炊飯時は熾火に太さ3㎝くらいの薪を数本加え、強火の状態を作る。鍋を火にかけたら、全体を炎で包むようなイメージで。炊き始める前に米を30分ほど浸水させるのがポイント。

沸騰したらムラを確認

数分で沸騰し始めるので、蓋を開けて米の状態を確認。火力にはムラがあるため、鍋を回して火の当たる位置を変える。より丁寧に炊くなら、ここでまんべんなく火が入るよう、全体をかき混ぜてから米を平らにならす。手早く丁寧に行なうこと。

熾火の弱火でじっくり炊く

勢いよく燃えていた薪の炎が自然に落ち着いてくるので、薪をいじって中火の熾火に調整する。鍋を回して火が全体に均等に当たるよう意識しながら8分ほど炊く。風が強い場合は、熾火の範囲を広げ、鍋の周りに熱がとどまるようにする。

炊きあがりを確認する

蓋を開けてみて、表面の水分がなくなっていたら炊き上がりのサイン。火から下ろして、蓋をしたまま蒸らして落ち着かせる。もし、炊けていなければ、米1合につき水20㎖を追加し、強火で一気に沸かしてから蒸らせば、リカバリーできる。

炊飯は非常にデリケートな作業なので、細心の注意を払いたい。十分な浸水時間をとることと炊き始めの強火がポイントだ。

食の軸となるご飯を上手に炊くコツとは

場所や天候を問わず、いつでもご飯を美味しく炊けるようになりたい。だが炊飯は数ある調理の中でも、実は難易度が高い。

焚き火は基本的に鍋底に火が当たる。炊飯器のように全体にムラなく火を当て続けることは難しいので、大事な3つのポイントを押さえたい。

①最低でも30分はお米を水に浸し、十分水を吸わせる。②炊き始めは強火。焚き火の炎を高め、火力を上げて沸騰させる。③火力は一定ではないので、途中で鍋を何度か回し、火の当たる位置を変える。

バーナーよりも難しいが、上手に炊くために覚えよう。

調理に向く火加減

着火剤の有効性

スムーズに焚き火を始めるためには着火剤を使いたい。焚き火自体を楽しむわけではなく、とにかく早く火を起こせることを優先するなら着火剤は必須の装備なのだ。非常時や悪天時も想定し、ライターと着火剤は必ず予備も携行したほうがいい。

火力を上げたいなら、細めの薪を選んでくべると、一気に炎が上がる。

火力を下げたい場合は、燃えている薪を引き抜いて鍋に炎が当たらないように調整する。

調理用焚き火の基本は熾火の状態

調理に使う焚き火の基本は、薪が炭のようになって火が落ち着いている、いわゆる熾火の状態。そして、理想の状態を維持するには、薪の面倒を見続けなければならない。

経験を積むと、拾い集めた時点での薪の太さと乾き具合で燃え方は推察できるようになる。必要な火力をイメージし、必要な薪を選び出し、火力を調整できるまでには、とにかく経験を積むしかない。

熾火を維持し、いつでも必要な火力の調整ができるようにしておく。一度火が落ちてしまうと、そこから火力を上げるにはなかなか時間を要するので、注意したい。

片付けの手順とコツ

食器の洗い方

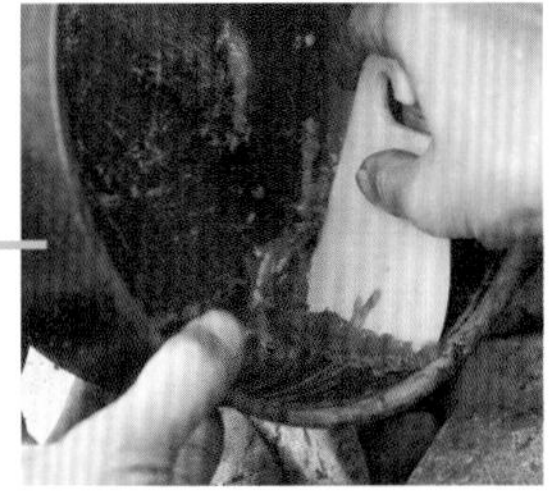

洗う前に汚れをできるだけきれいに拭っておく。このあと、ペーパーでさらに拭き取る。

湯を沸かすと油汚れが落としやすくなる。ブラシやタワシで調理器具や食器も一緒に洗う。

最後は海や川で洗い流す。落ちづらい汚れは草や海藻をスポンジ代わりにして擦ってもいい。

火の後始末

直火の焚き火を楽しむなら、後始末は厳格に。薪は燃やし切り、横に掘った穴に灰を移動する。

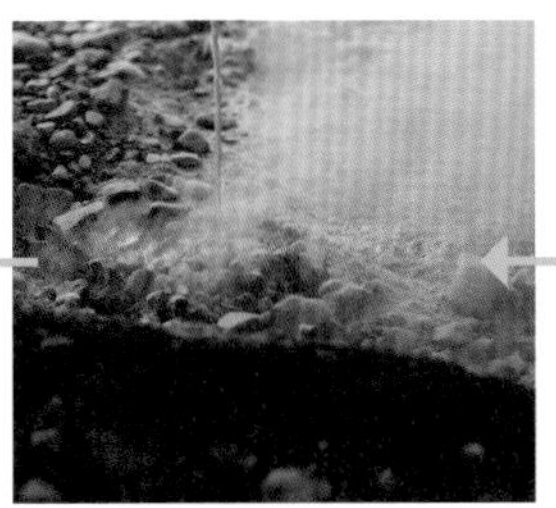

周りの砂や石で穴を埋める。海や川の水などを充分にかけ、確実に消火したことを確認する。

焚火の跡が残ると見苦しい。「立つ鳥跡を濁さず」。跡が消えるように石や砂を置き、馴染ませる。

食後の片付けまでスマートに終わらせたい

自宅とは違い、無人地帯では蛇口を捻(ひね)ればお湯や水が出るわけではない。鍋や食器に残った汚れの中でも油汚れは特に落としにくい。そんな時には、多少荷物になろうともシリコン製のスクレーパーが一つあると非常に便利だ。洗う前に汚れを拭うことで、かなり手間が減らせる。その後にお湯で洗うと、大抵の汚れは落ちる。経験上、片付けはこれで十分。

食事は誰もが楽しい時間だが、後片付けが楽しいという人はあまりいないだろう。面倒なのでつい後回しにしがちだが、できるだけ早めに洗った方が汚れは落としやすい。

それぞれの「とりわけ用」食器

小雀陣二

アウトドア業界で働き始めて四半世紀。これまでに知り会った先輩や仲間は、総じてアウトドアの経験値が高い。そして、皆、個性的でこだわりが強い。この本を一緒に作っているメンバーは、まさに個性の塊。そういった仲間が、現場でどんな道具を選び、使っているのかが気になっていた。

各自のこだわりから選ばれた道具には、個性が滲み出るはず。それぞれのすべての道具は紹介できないので、ここでは〝カトラリーと食器〟を紹介することにした。

デザインがいい、軽くてコンパクト、壊れにくい、洗いやすい、とにかく使いやすいなど、それぞれのセレクトには各々理由がある。しかし予想していた通り、共通点も多かった。

金属製は料理が冷めやすいので、食器は樹脂製。箸なども温かみがある竹製だが、小枝と間違われて何度か焚き火にくべられた……。(高橋)

焚火にかけられるのでソロ用クッカーを食器として使用。カトラリーは火箸としても使える中空ステンレス製の箸。他にはカップが一つ。(土屋)

ご飯、おかずにボウルと味噌汁、スープ用に大きめのカップ。旅により変えている飲み物用チタン二重マグ。一体のスポークと共に。(小雀)

皆が選ぶポリプロピレン製の食器類は、ほどよく柔らかく、落としても割れず、軽い。冷めにくく、熱いコーヒーやスープを入れても熱くて持てないということはないのが特徴だ。他に、火にかけられるソロサイズのチタンクッカーが多く選ばれているのも共通点。食器としてだけでなく、調理にも使える一石二鳥な道具選びだ。

こうして見ると、選んでいる基準がみな合理的。こうやって一緒に旅をする仲間の道具選びを再確認すると、彼らへの信用度がますます上がり、安心感が強くなった。

僕は飲み物を飲むためのカップには、チタンの真空二重構造を選んでいる。コーヒーやお茶を飲む時は、ちょっとリッチな気分になりたいという欲求があるのだろう。

冷めても直火にかけられる入れ子式のチタンカップ（大小）と、そこに収まるコップを愛用。スプーンは箸と連結して鍋いじりにも使う。（池田）

チタンのシェラカップとポリプロピレン製の折りたためるカップを使用。木の箸は短めだ。料理の受け渡しやまな板として使う板は必携。（矢島）

個別にフタがあると異物の混入を防ぎ、保温効果も高まるのでサイズ違いのクッカーを組み合わせる。箸、スプーン、カップは折りたたみ式。シリコンのスプーンは鍋肌にぴったり添い、汚れが残りにくい。（藤原）

深山の川を下る

人力で運べ、浮力が高く、荷物も載せられる。パックラフトは、信頼できる川旅の相棒だ。

パックラフトとパドル、そしてPFD。
合わせても5kg程度で済む。

急流を越えたら、のんびり休憩する。
こんな緩急の繰り返しがたまらない。

石の表情すらわかるほど透明な流れ。小魚がパックラフトの下を抜けていく。

安全で気持ちが良い場所を見つけたら、
そこがその日の野営地になる。

川旅は得られる獲物が意外と少ない。
持参した食材を中心にメニューを工夫する。

暖かい日は、そのまま河原で眠ることも。適度な風が吹けば、嫌な虫も少ない。

朝日を浴び始めた流れは、今日も透明。
パックラフト日和である。

峡谷の川

高橋庄太郎

水は怖い。とくに流れが強い場所でフネがひっくり返ると、水圧で体が岩や倒木に張り付いて脱出できず、溺死する事故も珍しくない。

「さて、オレはここもポーテージでいいか……」

激流をためらいなく下って行った仲間を見ながら、フネを川岸につける。

白泡が立つ急流に挑戦すれば、心臓がバクバクいいながらも気分は上る。俗な言い方をすれば、アドレナリンが放出されているような状態だ。

もちろんそれも楽しい。だが一方で、アドレナリンなどとはまったく無縁のまま、ただリラックスして川を下りたいこともある。

だから、無理をせずに〝ポーテージ〟するのだ。

川下りでいうポーテージとは、危険な難所や水が少なくて漕げない場所でフネを降り、再び下りやすい場所までフネと荷物を移動させること。面倒で時間もかかるが、安全度は間違いなく上がり、野営装備を流して紛失するような失敗もない。つねに〝自己責任〟で旅を進めていく無人地帯では、いつも以上に無理は禁物なのである。

キャンプ道具を積み込んで川を下るフネには、各種のカヌーやカヤックがあるが、なによりも簡単にポーテージという手段を選ぶことができるフネが、〝パックラフト〟である。なにしろ軽量で、下り始める場所まで人力で運ぶのもラク。一般的な認知度はまだまだながら、オレたちのなかではすでに基本装備の一つとして計算されているものだ。

急流を脱出し、流れが緩やかな場所でフネを陸地に上げる。今回はポーテージではなく、休憩だ。

早速、釣竿を伸ばす者もいる。食べておいしい魚は期待できない場所と季節だが、雑魚でも釣れれば、川がますます身近になるのである。

日本のなかで〝無人〟感を味わいながら川下りができる場所は意外と少ない。居住者がいない源流部は、水量が少なすぎてフネを出しにくく、川下りができるほどの水量になると、今度は川岸近くに道路や人家が現れがちだからだ。

しかし、ときおりどこかで道路と交差しても、その道路から深い谷間まで降りる方法がなく、パックラフトなどで川を下らねばアプローチできない河原もある。北海道や四国の川、それも支流が狙い目だ。

オレたちは再び川を下り始めた。頃合いを見て上陸し、河原をウロつく。

「あった？」

「ダメ！」

探しているものは2つ。

一つは、増水しても水没しない安全なキャンプ適地。少なくても、瞬間で安全な高台へ逃げられる場所である。

もう一つは、流木。調理用の火力をもっぱら焚き火で済ませるオレたちには、流木がない河原は水があれども砂漠のような場所なのだ。

無事に流木が多いキャンプ地を見つけたら、あとは各自いつものように好き勝手過ごす。

ヒマつぶしに雑魚と戯れようかと、自分の釣り竿を探した。だが、なぜか見つからない。

遠くを見ると、仲間がなんだか見覚えのある竿を、気持ち良さそうに振っていた。

Chapter 07

高橋庄太郎

生活術 ②

“遊び”だからこそ求める“快適さ”

The Encampment

味わいたいのは気持ちよさ「我慢」すればつまらない

我々が遊びに行くのは、“無人”の場所ではある。だけど前人未踏の大秘境というわけではない。ましてや人類未登頂の超高山でもない。

大秘境や超高山に挑むなら、狭いテントを大人数で使い、寒くても軽い寝袋を選び、食料すら切り詰めてストイックなスタイルを取らざるを得ない。しかし、ただ心から自由に遊びたいというだけならば、ストイックさは無用だ。

キーワードは、“ノー・ストレス”。

たまたま失敗してツライ目に会い、後から思い返せば、それが良い思い出になっている、なんていうのは悪くない。

だが、やはりひどい思いはせず、快適に遊んだほうがいい。
野営の方法も、そんな観点から考えたい。天気が目まぐるしく変わる大自然の中で、いつも理想的なキャンプ生活を送るのは難しいが、それでもマシにする方法はある。
他の章でも少し触れているが、問題は装備を「どこまで持っていくか」。多くのものを持ち込めばキャンプ生活は快適になるが、荷物が重い。荷物が重くなると、今度は行動中の快適さが失われる。
だが、ちょっとした知識があれば、大した装備でなくても快適さはアップする。つまり、知識で装備を補うのだ。そうすれば、限りなくノー・ストレスなキャンプ生活が送れるだろう。

暑くなく、寒くなく、心地よく

ブランケットになる寝袋で涼しく

一つの寝袋で気温の変動に対応するには、使い方次第で保温力を変えられるものが便利だ。一例が、サイドファスナーが足元まで延び、すべて下げればブランケットのように広げられるタイプ。寒いときは閉じ、暑いときは体の上にかけて眠れば、温度調整しやすい。

インナーをつぶして、フライだけで

テントによっては、インナーテントをつぶし、フライシートのみでタープ的に使える。特にポールだけでフライを立体化できる"吊り下げ式"は簡単だ。"スリーブ式"なら、写真のようにトレッキングポールを利用する手もある。

タープにでも、テントにでも

メッシュのインナーテントは風通しが良いが、何も無い状態に比べれば熱気がたまる。そこで、タープとメッシュインナーを組み合わせ、虫が少ない場所や極度に暑い時はタープのみで。内部が見えやすくてプライベート感は低いが、応用度は高い。

いくつかの知識を身につけその場のアイデアも活かす

野営用のテントや寝袋にはさまざまなタイプがそろう。まずは自分の好みやよく行く場所に合うモデルを入手。その次に、それらが持つ機能性を最大限に引き出し、幅を広げる使い方を考える。

ここで紹介した方法は、いかに心地よく眠るか、寒暖に対応するための一例だ。

ちなみに、この上でインナーをつぶして使っている写真、じつはテントのポールを忘れてしまった時のもの。昼はこのようにトレッキングポールを利用して涼しく過ごし、夜はインナーテントごと無理やり立体化させ、冷風を遮った。何ごともアイデア次第だ。

防寒着込みで寝袋を選ぶ

就寝時に必要な保温力は、寝袋単体ではなく、防寒着とのトータルで考える。上半身のジャケットだけではなく、下半身にダウンパンツ、頭にニット帽、足元に乾いたウールソックスなどと用意すると、就寝時だけではなく、食事や雑用の時も温かく過ごせる。

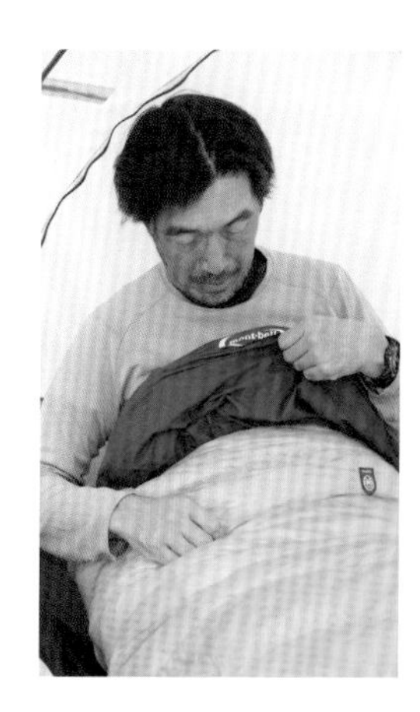

薄い寝袋を2枚重ねる

寒い時期や場所に行く時にわざわざ分厚い寝袋を用意する必要はない。温暖期に向くものを複数用意し、現地の気温に合わせて1つ持って行ったり、2つ重ねて使ったりして、保温力を変えると良い。1つはブランケットにできるタイプだと、対応できる温度域が広がる。

外で気持ちよく眠るには？

テントもタープも無しで、そのまま外で寝るのは気持ち良いが、就寝時は温かくても、明け方は冷える。そこで地面に断熱性が高いシートを敷いてから、その上にマット。寝袋は薄手でも、カバーを併用すれば、保温力が高まる。

近くに熾火（おきび）になって炎が出ていない焚き火があれば、温かい上に危険性も少なく、こんなスタイルで眠るのがますます快適になる。

エマージェンシーブランケットをうまく使う

体の熱を反射して体温をキープするエマージェンシーブランケット（シート）は、全身を覆えるサイズで70～80ｇ。寝袋と組み合わせる他、右の写真のように敷いて使う（オレンジの部分）こともでき、緊急ビバークにも役立つ。

雨、風を防いで寛ぐ

共同で使える シェルターを持つ

巨大な1ポールテントの半分を居住区、半分を土間とし（詳細はP167）、雨天時はみんなが集まれるシェルターに。焚き火で料理する場合は、調理後にクッカーを持ち込む。タープでは厳しい暴風雨時でも、この中は快適な宴会場だ。

ぜひ準備しておきたい 悪天時の〝共同リビング〟

せっかく遊びに来たのに、悪天候は残念だ。風雨が強いと誰もが自分のテントに閉じこもりがちになり、仲間との会話すら楽しめなくなる。だが、それに備えた道具やアイデアがあれば、状況は好転できる。

例えば、多少重くなっても共同で使えるシェルターやタープがあれば大違い。メンバー全員を収容できる〝屋根付きリビング〟が無人地帯に現れる。

ここで紹介している1ポールテントは風にめっぽう強く、四方を完全に閉じられるのが利点。一方、タープは状況に応じて張り方を変えられ、対応力が高い。使い方は事前にシミュレートしたい。

悪天候への
テクを学んでおく

樹林帯や岩陰に逃げ込むほどではなければ、設営方法でしのぐ。テントであれば、何よりすべてのペグを打つこと。そして何本もの張り綱をとる。タープは写真のように低くして、風の圧力を逃せる態勢を作る。

風雨を避けられる
場所へ逃げ込む

いくら丈夫なテントをうまく設営していても、強力な風雨にはかなわない。無理に抵抗せず、樹林帯や岩陰に逃げ込もう。悪天が予想されるときは、あらかじめ全員が退避できるキャンプ地を探しておくのが肝要だ。

防水ソックスが便利！

雨天時に足が濡れると冷えるが、行動用の湿って汚れたシューズは履きたくない。そこで防水ソックス。蒸れにくい素材で、サンダルとの相性もよい。

タープにはあえて
隙間を空けて

タープは大型1枚よりも複数組み合わせ、雨天時はそれらの間にあえて隙間を作る。すると、その下で焚火をしても煙がタープの下にたまらず、息苦しくならない。なお、雨天時はタープが難燃性でなくても火災を起こす心配は少ない。

“光”をどうするか？

他の装備以上に重要な高機能ヘッドランプ

電灯なぞ存在しない場所では、日没と同時に周囲が暗くなる。焚き火の光は優しいが、その光は移動できない。

ヘッドランプに必要な機能は、第一に〝防水性〟。防水とはすなわち、暴風雨の中でも故障しにくいことだ。その上で、高照度(大光量)タイプ、もしくは高照度と低照度を使い分けられるタイプを選ぶ。

荒野のキャンプ地では遠くまで明るく照らせることが重要だ。夜に森や岩陰に入ると、周囲が把握しにくく、キャンプ地近くでも道迷いを起こす。クマが出てきても至近距離まででわからない。安全に直結する道具なのである。

ランタンは“小型”を複数

我々は“小型”を多用する。大型は光が強いが、光源一つでは影ができる場所が広く、しかも重い。超小型は光が弱すぎ、テント内向けだ。その点、現代の小型タイプは光がかなり強く、複数使えば影もできにくく、使いやすい。

ヘッドランプは“高照度”対応を

軽量でも、小さなLEDが数個だけで近くしか照らせない低照度モデルは不可。真っ暗な無人地帯ではトイレに行くのも危険な“夜間行動”だ。しかし大光量で使うとすぐにバッテリーが切れる。簡単に最低光量に調整できるものが良い。

○

×

難しい！ バッテリー問題

太陽光を利用するソーラーチャージャーは、無人地帯でこそ有効に思える。だが軽量なモデルが400gだとして、単三乾電池（約23g）は17本分、単四（約11g）は36本分。現在は20000mAhのモバイルバッテリーでも軽く400gを下回る。つまり“重量対効果”を考えると、よほどの長期遠征でなければ乾電池やモバイルバッテリーのほうがいい。僕個人は5日以上もプラグから充電できない場所へ旅することも多く、その際は大いに利用している。

リペア用具があれば

マルチプライヤー（P99）があれば、指ではできない細かな作業がラクに行なえる。力も入りやすく、リペアの完成度が飛躍的に高まることも多い。

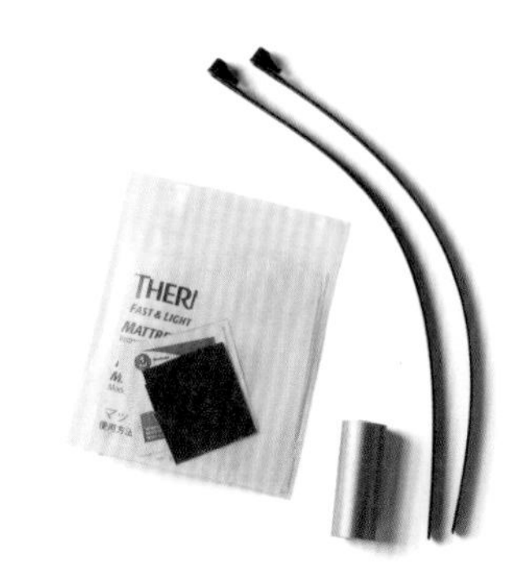

結束バンドと補修パッチ

結束バンドは強靭だ。ロープやバックルのように破損したものをつなぎ、よほどのことでは外れない。バックパックやシューズもこれで応急処置できる。補修パッチの粘着力も強力。圧がかかるエア注入式マットの空気漏れも充分に抑えられる。

ダクトテープ（強粘着テープ）

補修パッチほどの強度は出ないが、ダクトテープもかなりの強粘着で、テント、タープ、防水バッグ、レインウェアなどの補修にうってつけ。あらかじめ小巻されたものは高価なので、大口径のものから小さく巻き直して使うと安上がりだ。

ロープはリペア以外の用途にも活躍。写真は、3本の流木をロープでまとめて巻き、末端を広げて立てたトライポッド（三脚）。浄水器を吊るしている。

細いロープ類

細引きといわれる強度が高いロープやパラコードは正に必携。最低でも4～5m持っていると便利だ。靴紐やテントのガイラインが断裂した時、バックパックのストラップが切れた時など、用途の幅は広い。洗濯物を干す時も活躍する。

なにがなくても、ロープとダクトテープは持つ

針と糸、テントのポール用スリーブなど、リペア用具は細かく選ぶとキリがない。

そこで厳選に厳選すれば、残るはダクトテープと細いロープだ。前者は「貼る」、後者は「結ぶ・巻く・締める・つなぐ」と、シンプル極まる用途だが、それら2種だけで応急処置できるものは非常に多い。

ここにプラスしたいのが、結束バンドと補修パッチだ。どちらも非常に耐久性が高く、強い力がかかってダクトテープやロープでは対応しきれないモノも補修できる。細かな作業にはマルチプライヤー。ナイフを持つなら、こんなプライヤー付きが便利だ。

トイレの方法

埋めるか、洗うか

排泄関係の昔からの道具は、小型ショベル。無くても何とでもなるが、あれば便利だ。その点、ペットボトルに付けて使う"お尻洗浄シャワー"は現代的。軽量で安いものは数百円で買えるので、愛用者が増えている。

水の出口を上向きにして使用する。ペットボトルを握り、圧をかけて水を噴出するため、比較的柔らかめのペットボトルが合う。

ゴミの持ち帰り

焚き火で燃やせる紙類以外は、細かく破いたり圧縮したりしてコンパクトに。臭いが漏れ出ないように、ゴミ専用のドライバッグを用意するとよい。

トイレットペーパーとライター

水濡れに弱いペーパーは、ドライバッグでキープ。芯を抜いておくとコンパクトに収納できる。拭き終わって残ったペーパーにはライターで火をつけ、周囲への延焼に気を付けながら可能な限り燃やし、後に残るものをできるだけ減らす。

携帯トイレ

気温の低さや土壌の貧弱さなどの理由で微生物による分解が期待できない場所では、水分を凝固させて持ち運べる携帯トイレを使う。また、水場にもなる渓谷や下流に人家も多い河原でも積極的に使用し、水の汚染には細心の注意をする。

埋めるときは……

すばやい分解が期待できる温かい場所では、終了後に地面へ埋めても良い。ただし、深く埋めると分解されにくいので、再露出はしない程度の浅さで。他の人に迷惑をかけないように棒を立て、そこに汚物が眠っていることをアピールしよう。

一人ですることだからこそ良心的に

排泄物の処理方法は、場所によって違う。微生物による分解が早く、他の人に迷惑をかけない場所なら、分解しにくいペーパーを燃やしてから浅く埋めればよい。

それ以外では、携帯トイレを使おう。〝漏れ〟が気になる人は多いが、最近の製品は対策充分だ。無人地帯では人気の山ほどトイレ問題は大きくないが、やはりマナーである。

歯を磨く、顔を洗う
～衛生面について～

歯を磨く

キャンプ中はおろそかになりがちだが、やはり歯磨きは大事だ。それほど環境へ配慮しなくても済む場所では普通の歯磨き粉で問題ないが、少しでも汚染を控えるなら、アウトドア専用の天然成分由来で「飲み込める」タイプもある。

自分のため、仲間のために体をこぎれいに保つ

野外での体調管理を考えると、はじめに食事や睡眠などが思い浮かぶ。だが、じつは歯磨きや肌荒れ対策などの細かな衛生管理こそが、心身の元気さを保つ秘訣でもある。

重量を考えれば、多くのものは持っていきたくない。だが、ここで紹介している用具くらいは必要だろう。アルコール消毒液のように、自分の手の雑菌を処理することで仲間の健康を守るものもある。

また、フィールドでは自分たちの小汚さはあまり気にならない。だが人間の世界に戻る前には、できるだけこぎれいに。悪臭を放たず、清潔感がある見た目を取り戻したい。

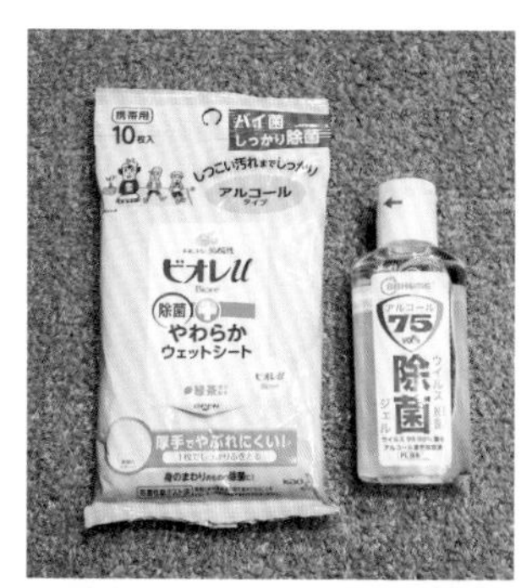

こういうときこそ、固形石鹸

水分が多くて重い液体石鹸よりも、固形石鹸。フィールドでは生分解するものを選び、環境へ負荷を与えない。小さいものでもよく泡立ち、意外とすぐにはなくならず、頭から体までたっぷり洗える。防水性の袋に入れて収納しよう。

出番が多いワセリン

素手での作業が多く、紫外線も強いアウトドアではとにかく肌が荒れる。歩いていると股擦れも起きやすい。香料が入っていないワセリンは全身オールマイティに使え、肌荒れを抑える。唇だけは紫外線カット効果があるリップスティックで。

アルコールで消毒を！

アウトドアで起きる食中毒の大半は、調理中の手の汚れに原因がある。新型コロナのようなウイルスや細菌対策も兼ね、アルコール消毒液を持っていきたい。コンタクトレンズ使用者は、目に入れる前の手指の消毒にも利用できる。

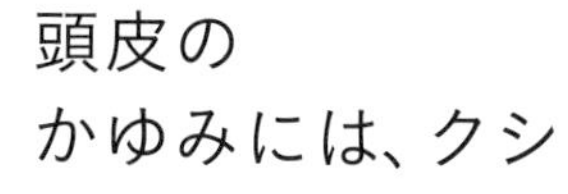

頭皮のかゆみには、クシ

頭が洗えない状態が続くと、どうしてもかゆくなる。だが、髪へ毎日クシを通し、頭皮に刺激を与えて血行を良くすると、驚くほどかゆみが激減するのだ。ホテルのアメニティにあるような使い捨てタイプで充分なので、試してみてほしい。

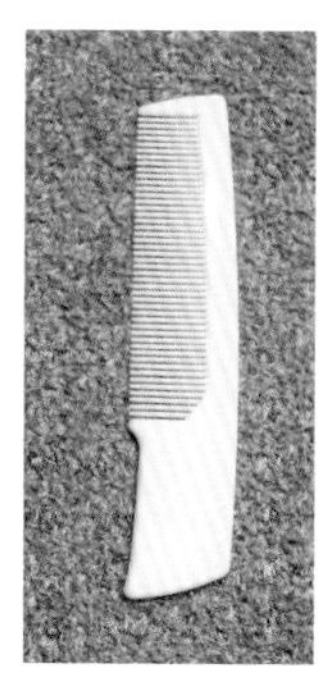

メガネとコンタクトレンズ

大げさなことをいえば、無人地帯で目が見えなくなることは、死に一歩近づくことだ。海や川に流したり、崖下に落としたりするリスクを考え、メガネは必ず予備を持つこと！ コンタクトレンズも日数分以上、余裕を持って用意すべきだ。

最後に立ち去る前に

自然に感謝して出発
どこにも跡を残さない

とうとう最終日が訪れた。

ここまで毎日、移動しながら生活し、朝にキャンプ地から立ち去る前には、自分たちの痕跡が一切残さないように注意してきた。

焚き火やテントを張った跡を消し、椅子やまな板代わりに使っていた漂流物を目立たないところへまとめ、ゴミが落ちていれば拾い……。

だが最終日には、さらに別のやるべきことが一つ加わる。

パッキング時は、バックパックの奥底へもう使わない汚れたものを押し込み、上の方にはきれいなままキープしていた着替えや洗面用具。我々以外の人に出会う直前に着替

焚き火の薪は燃やし切るのが鉄則だが、雨の中では燃やし切れないこともある。そんな時は海や川に浸け、完全に消火しておく。

行動中は一切手を付けず、きれいな状態でキープしていた着替え一式。仲間以外の人と接する場所に出る前に、これらに着替える。

雨の中の撤収。ゴミを残さず、以前とまったく同じ状態に戻してから出発する。最後に出る人は、忘れ物が落ちていないかチェックする。

公共交通機関を使う場合は、他の人の迷惑にならないように荷物をまとめる。場合によっては、宅配便などで自宅へ送って身軽になる。

えて清潔にするためである。

そして、最終キャンプ地を出発し、無人地帯を脱出する。あとは見慣れた人間の世界。少しホッとしながら、不思議な寂しさを感じる。久しぶりに財布を出し、自動販売機でコーラなどを買い、バスに乗る。

宅配便を出せる場所があれば、いらない荷物は送ってしまう。あとはどこかで打ち上げをして、自宅に帰ろう。

All American Food

帰る前のお楽しみ

高橋庄太郎

この本に関わるメンバーは、みんな首都圏在住だ。自宅からそう遠くない場所なら終了後は一緒に帰るが、ある程度遠くなると〝現地解散〟になる。

僕はこの現地解散が大好きだ。一人でも必ず居残り、近くの街を拠点にブラブラして、のんびり過ごす。

回転ずしやラーメンを食い、地元の図書館で行ってきた場所に関する資料をあさる。ホテルの部屋に「起こさないでください」というプレートをかけ、昼過ぎまで惰眠をむさぼる。

そんな時間がたまらなく心地よい。〝無人地帯〟との対比というべきか、セットというべきか、まるで合わせ鏡のような感じの楽しみなのである。

僕はフリーランスの仕事なので、自由に休みを取れる。その代わり、最後にのんびりするつもりだった時間に、急に原稿を書かねばならないこともある。そんな時に限って、たまたまリゾート地のかわいらしいホテルに泊まっていたりするのだが、あれだけ遊んできたのだから仕

キャンプ地での食事が充実しているので、
無人地帯から戻ってきても飢餓感はない。
だが、ジャンキーなものは食べたくなる。

帰宅前にはホテルに一泊し、体の汚れと
疲れを徹底的に取る。久しぶりの一人だ
けの時間もたっぷり楽しむ。

終了後に家族を呼び、そのまま家族旅行
に流れ込むこともある。こんな大きなバ
ンガローに泊まるとリフレッシュできる。

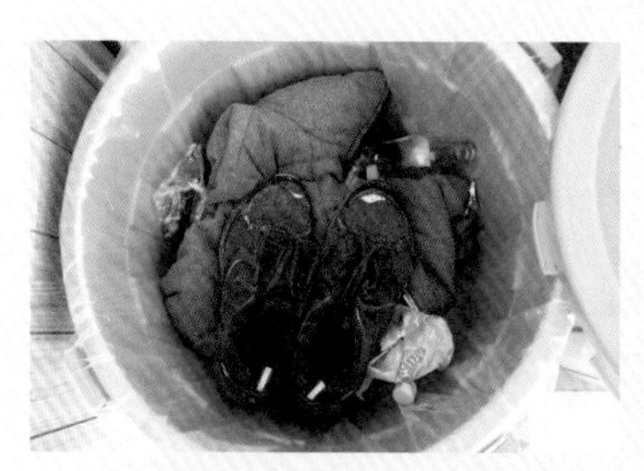
最後にボロボロになったシューズを捨て
て帰るメンバーも。こんな写真が残って
いるのは、感謝と名残惜しさからだろう。

方ない、とあきらめる。

だが、仕事に集中しようとしても、頭の中には次の計画、来年の計画、夢想レベルのもっと未来の計画が浮かんでくる。原稿が進むはずがない。

さて、次はどこへ行こうか？ 老いて体が完全に動かなくなるまで、じわじわ楽しみたいものだ。

遊んだ場所が遠方だと、帰宅まで時間が
かかる。思い切ってフェリーのようなも
のを使うと、旅情はまだまだ続く。

日本で最も険しい谷が、北アルプスの黒部峡谷だ。その最上流部は"上ノ廊下""奥ノ廊下"と呼ばれ、登山道が延びている区間はほとんどない。

九州北部のリアス海岸に浮かぶ群島が九十九島（くじゅうくしま）。島の総数は200を超えるといわれ、その大部分が無人島だ。しかし、どこでも野営できるとは限らない。

伊豆半島のなかでも特に険しい南伊豆には、シーカヤックでしか行けない浜が点在する。黒潮を受け、海中にはカラフルな魚が泳ぐ。

屈斜路湖（くっしゃろこ）から流れ出す釧路川は、手つかずの区間が日本で一、二を争う規模で残されている。上流から釧路湿原まで、人工物が見える区間は短い。

全域が山深い紀伊半島のなかでも東部の尾鷲〜志摩は山と海が近く、道路が海岸線から離れている。そんな場所にはフネでしか行けない浜が多い。

日本の最北東端の知床岬には70km以上になる自然海岸が残されている。夏に一部の漁師が番屋で暮らす程度で定住者はおらず、わが国最大の無人地帯である。

知床半島先端は、野生動物の楽園でもある。ヒグマの生息密度は世界一と考える専門家もいるようだ。エゾシカは増えすぎて問題になっている。

Epilogue 日本のフィールドで遊ぶ前に

高橋庄太郎

目の前に広がっているのは、誰にも邪魔されない時間と空間。日常の生活からはとても想像もできないほど、〝無人地帯〟は自由だ。

無人地帯では誰からも指示されず、禁止されず、命令されることもない。すべての行動は、〝自分たち〟の判断が基準である。〝自分自身〟もしくは〝自分たち〟の判断が基準である。一日24時間、多くの制約があることに慣れた生活を送っている人には、むしろ自由すぎて、どうすれば良いかわからないかもしれない。

忘れてはいけないのは、そんな自由には責任が伴うということだ。

そのような視点から、この本の製作に関わってきた我々が伝えたいことを、各章と記述が繰り返されることを厭わず、改めて列挙してみよう。

「環境へダメージを与えないこと」。

現地で食材を調達し、キャンプ生活を行なうことは、それだけでも必然的に自然に負荷を与える行為だ。しかし、できるだけ負荷を少なくし、短期間で回復可能な範囲に収める。言い換えれば、〝持続可能〟なレベルの遊びにとどめるということだ。

「安全であること」。

アウトドアでの遊びは、街でできる娯楽よりも、やはり危険が付きまとう。しかも無人地帯では簡単に助けを呼ぶことはできない。食あたり程度なら笑い話で済ませられるが、重大な事故を起こさず、どんな時でも自力で帰還できるようにしなければいけない。そのためには計画、技術、知識、判断、といったアウトドアでの〝総合力〟が必要である。

そして、非常に大事なのが、「地元の人に迷惑をかけないこと」だ。

どんな無人地帯といえども、そこはどこかの行政区に属し、〝地元の人〟がいる。たとえ居住地域がかなり離れていて、我々が遊んでいるような場所へはほとんど行ったことがないとしても、

地元の方から見れば、我々はその生活圏へ出入りしている〝外部〟の人間なのだ。

それなのに、もしも事故や遭難騒ぎが起きると、土地勘がある地元の人が駆り出される。警察だけでは手が足りず、近くに消防所もないような地域では、地域の消防団のような方々が中心になる。地元住民のみなさんが自分の仕事を休み、ほとんど手弁当で救助に向かうような事態にさせるわけにはいかない。また、地元の方が狩猟や山菜の採取に使う地区や、宗教上の理由で大切にしている場所を、外部の人間が間違ってでも荒らすようなことがあってもいけない。

重大な問題を起こさないために最も大切なのは、突き詰めれば、自分の〝良心〟である。

希少な生き物まで採取して食ってしまい、ゴミを放置したまま戻ってきても、誰かが見ているわけではないと気

にしない。その一方で、事故や遭難を起こした時に自力で何とかしようともせず、簡単に救助を求めたりする。それなのに助けられてもまともにお礼すらせず、費用を負担しない人もいる。それで自分の良心が痛まないのか？

とはいえ、どんなに細心の注意をしていても、ミスは起こりうる。だから、我々は現地で誰かに会えば、できるだけにこやかに挨拶をし、コミュニケートしておく。ゴミがあれば、他人のものでも拾って持ち帰り、自然を守る。それが直接何かにつながらなくても、心の保険のようなものにはなる。

そのようないくつかの注意点を心の中にしまっておきつつ、無人地帯に突入したら、あとは存分に遊ぶだけだ。原始性を帯び、野性を残したフィールドが日本中で待っている。

高橋庄太郎

山岳／アウトドアライター
担当＝第1章「計画と準備」、
第3章「行動術」、
第7章「生活術❷」
旅エッセイほか

土屋智哉

アウトドアショップ
「ハイカーズデポ」店主
担当＝第2章「道具術」

池田 圭

編集者／ライター
担当＝第4章「生活術❶」

藤原祥弘

アウトドアライター
担当＝第5章「狩猟採集術」

小雀陣二

アウトドアコーディネーター／
カフェ「雀家」オーナー
担当＝第6章「調理術」

矢島慎一

フォトグラファー
担当＝撮影／グラフィック

協力
小澤由紀子、亀田正人、斉藤徹、
島田真弓、須藤ナオミ、根津貴央、
野川かさね、樋口壮一郎、藤代冥砂、
松田悠史、森山伸也、山谷健史

“無人地帯”の遊び方
人力移動と野営術

2021年5月25日　初版第1刷発行
2021年9月25日　初版第3刷発行

編著者　高橋庄太郎
土屋智哉
池田 圭
藤原祥弘
小雀陣二
矢島慎一
発行者　長瀬 聡
発行所　株式会社グラフィック社
〒102-0073
東京都千代田区九段北1-14-17
TEL 03-3263-4318
FAX 03-3263-5297
郵便振替 00130-6-114345
http://www.graphicsha.co.jp/
印刷・製本　図書印刷株式会社

ISBN978-4-7661-3485-8 C0076

STAFF
ブックデザイン　大島達也(chorus)
DTP　宇田川由美子
イラスト　いとう良一
写真(道具撮影・一部)　木藤富士夫
編集　坂田哲彦(グラフィック社)